Third Edition

Encore des Exercices

Hedwige Meyer

University of Washington

McGraw-Hill Primis Custom Publishing

Boston Burr Ridge, IL Dubuque, IA Madison, WI New York San Francisco St. Louis
Bangkok Bogotá Caracas Lisbon London Madrid
Mexico City Milan New Delhi Seoul Singapore Sydney Taipei Toronto

McGraw-Hill Higher Education
A Division of The McGraw-Hill Companies

Encore des Exercices

McGraw-Hill's Primis Custom Publishing consists of products that are produced from camera-ready copy. Peer review, class testing, and accuracy are primarily the responsibility of the author(s).

4 5 6 7 8 9 0 QSR QSR 0 9 8 7 6 5 4 3

ISBN 0-07-285814-1

Editor: Jody Campbell
Production Editor: Nina Meyer
Cover Design: Kelly Susan Estelow
Printer/Binder: Quebecor World

Les bonnes manières

Que disent-ils? Imagine what these people could be saying to one another.

Exercice 2

Les nombres de 0 à 20

Read these maths problems outloud and try to solve them giving your answers in French.

2 + 2 =

4 + 8 =

9 + 1 =

8 + 8 =

10 + 4 =

9 + 11 =

15 + 5 =

20 - 19 =

7 - 3 =

16 - 7 =

3 - 3 =

18 - 4 =

13 - 5 =

12 - 9 =

4 x 2 =

8 x 2 =

13 x 1 =

7 x 2 =

3 x 5 =

Exercice 3

Les nombres de 20 à 60

Let's continue to do solve our maths problems in French. Once again, make sure to read outloud in French!

15 + 15 =

20 + 24 =

10 + 35 =

31 + 16 =

25 + 27 =

43 + 17 =

51 - 9 =

60 - 40 =

34 - 21 =

22 - 7 =

48 - 11 =

24 - 5 =

3 x 10 =

20 x 2 =

15 x 3 =

7 x 7 =

8 x 6 =

6 x 5 =

Exercice 4

Les jours de la semaine

<u>Tell us what day of the week it might be or what day of the week you do the things indicated:</u>

1. Quel jour sommes-nous aujourd'hui?

2. Quels sont les jours du week-end?

3. Quel est le jour où l'on célèbre Thanksgiving?

4. Quel est votre jour préféré?

5. Quels sont les jours où il y a cours à l'université?

6. Quel jour faites-vous du jogging?

7. Quel jour allez-vous à la banque?

8. Quel jour faites-vous du tennis?

9. Quel jour est-ce qu' il y a des matchs de football américain à la télé le soir?

10. Quel jour est-ce qu' il y a "60 minutes" à la télé?

Exercice 5

La date

<u>Answer the following questions:</u>

1. Quelle est la date d'aujourd'hui?

1. Quelle est la date de Noël?

1. Quelle est la date de la fête nationale française?

1. Quelle est la date de l'indépendance américaine?

1. Quelle est la date de Halloween?

1. Quelle est la date de votre anniversaire?

7. Quelle est la date de l'anniversaire de mariage de vos parents?

Exercice 6

La salle de classe

<u>Qu'est-ce que c'est?</u> Name the following objects and people. Do not forget the articles.

<u>Model:</u>   C'est une craie.

1.

2.

3.

4.

5.

6.

7.

8.

9.

10.

11.

12.

13.

14.

15.

16.

17.

18.

Exercice 7

Le genre des noms

Masculin ou féminin? Indicate the gender of the following nouns.

1. _____   socialisme

2. _____   gouvernement

3. _____   ami

4. _____   étudiante

5. _____   coca

6. _____   couture

7. _____   santé

8. _____   violence

9. _____   libération

10. _____   bureau

11. _____   possession

12. _____   bonté

13. _____   japonais

14. _____   romantisme

15. _____   prairie

16. _____   voiture

17. _____   département

18. _____   poteau

19. _____   football

20. _____   préférence

Exercice 8

Les accents

Où sont les accents? We forgot to write the accents on the following words. Please help.

a bientot

tres bien

s'il vous plait

a plus tard

repetez

zero

une fenetre

un etudiant

une etudiante

un ecran

une television

voila

un retroprojecteur

un magnetoscope

Exercice 9

Les lieux et les matières universitaires

I. Tell us where you could find the following things on a campus?

1. un hamburger

2. des chaises

3. un professeur

4. des livres

5. une télévision

6. une radio

7. un ordinateur

8. un croissant

9. une craie

10. un rétroprojecteur

II. Tell us what we need to study to be in the following professional fields.

1. médecin

2. professeur d'anglais

3. historien

4. informaticien

5. chimiste

6. linguiste

7. psychologue

8. sociologue

9. dentiste

10. géographe

Exercice 10

Les nationalités et les langues

<u>Où habitent-ils et quelles langues parlent-ils?</u> Indicate which countries the following people live in and what language they speak. Remember languages are always masculine.

<u>Model:</u>   Thomas / Seattle
Thomas habite les Etats-Unis. Il parle anglais.

1. Sofia / Rome

2. Jacques / Paris

3. Marc / Montréal

4. John / Londres

5. Tatsuko / Tokyo

6. Henri / Genève

7. Hermann / Stuttgart

8. Jose / Madrid

9. Sylvie / Bruxelles

10. Monique / Abidjan

Exercice 11

Les articles définis et le genre des noms

Indicate the gender of the following words using definite articles (le, la, l')

1. _____   vision

2. _____   tourisme

3. _____   librairie

4. _____   touriste

5. _____   document

6. _____   amie

7. _____   différence

8. _____   jogging

9. _____   nation

10. _____   homme

11. _____   personne

12. _____   professeur

13. _____   indépendance

14. _____   gouvernement

15. _____   chinois

Exercice 12

Le pluriel des noms

Rewrite the following words in the plural.

Model: un étudiant   des étudiants

1. le cours

2. la craie

3. un bureau

4. l'hôpital

5. un pieu

6. le restaurant

7. une croix

8. un travail

9. le tableau

10. un tapis

11. la Française

12. un Japonais

13. un stylo

14. le poteau

15. un lieu

16. la classe

17. le nez

18. un examen

19. le livre

20. un professeur

Exercice 13

Les articles définis et indéfinis

Complete the following sentences using definite (le, la, l', les) or indefinite (un, une, des) articles.

1. A _____ université de la Sorbonne, il y a _____ professeurs et _____ étudiants. _____ étudiants sont assis sur _____ chaises pendant _____ cours.

2. _____ professeurs utilisent _____ craies pour écrire sur _____ tableaux.

3. Dans _____ cours de français, _____ professeur parle français et _____ étudiants apprennent.

4. Dans _____ salle de classe, il y a _____ chaises, _____ tables et _____ tableau.

5. Dans mon sac, il y a _____ stylos et _____ crayons.

6. A _____ bibliothèque, il y a _____ livres.

7. Marie aime _____ musique classique, mais Thomas préfère _____ jazz.

8. Maurice déteste _____ rap. Il aime mieux _____ rock.

9. A _____ université, j'étudie _____ géologie, _____ physique, et _____ maths.

10. Nous aimons écouter _____ radio mais nous n'aimons pas regarder _____ télévision.

Exercice 14

Les articles (suite)

Complete the following sentences using definite (le, la, l', les) or indefinite (un, une, des) articles.

Mireille aime _____ musique. Elle adore _____ jazz mais elle déteste _____ rock.
Elle aime écouter _____ radio mais elle n'aime pas étudier.
Robert aime _____ université. Il étudie _____ géologie, _____ maths et _____
histoire. Par contre, il n'aime pas _____ philosophie.

Aux Etats-Unis, il y a _____ Américains, _____ Français, _____ Anglais, _____
Mexicains etc...
_____ Américains parlent anglais.
_____ Français parlent français.
_____ Mexicains parlent espagnol.

Dans _____ salle de classe, il y a _____ étudiants, _____ étudiantes et _____
professeur. _____ professeur est français mais _____ étudiants sont américains.

A _____ Université de Washington, il y a _____ salles de classe, _____
amphithéâtres et _____ bibliothèques. _____ étudiants sont généralement
américains mais il y a aussi _____ Japonais, _____ Français etc...

Exercice 15

Les verbes en -er

Conjugate the verbs in parentheses paying special attention to the subject of the sentence.

1. Nous _____ (visiter) le Louvre.

2. Elle _____ (chercher) un livre à la bibliothèque.

3. Vous _____ (travailler) à la librairie.

4. Je _____ (parler) français et italien.

5. Les professeurs _____ (écouter) les étudiants.

6. Tu _____ (danser) souvent à la discothèque.

7. Nous _____ (manger) dans un bon restaurant.

8. Est-ce que vous _____ (rêver) beaucoup?

9. Il _____ (skier) tous les week-ends.

10. Je _____ (trouver) mon cours intéressant.

11. Elles _____ (aimer) parler allemand.

12. Nous _____ (regarder) la télé.

13. Tu _____ (demander) un café.

14. Où est-ce que vous _____ (habiter)?

15. Je _____ (donner) des indications à nos amis.

16. Il _____ (détester) la violence.

17. Nous _____ (aimer mieux) le pacifisme.

18. Est-ce que vous _____ (parler) français?

Exercice 16

Le verbe être

I.Complete the following sentences with the correct forms of the verb être.

1. Myriam _____ étudiante à l'université de Toulouse.

2. Ses parents habitent à Toulouse mais ils _____ de Marseille.

3. Myriam et moi, nous _____ sportives. Nous aimons le tennis, le jogging et le football.

4. Et vous, est-ce que vous _____ sportif?

5. Je _____ dans la salle de classe. Et toi, où est-ce que tu _____ ?

II. C'est ou il est? Complete the following sentences with c'est, il est, ce sont, ils sont, elle est, or elles sont.

1. Qui est-ce? _____ un ami. Il s'appelle Maurice.

2. Qu'est-ce qu'il fait? _____ avocat. Il travaille beaucoup.

3. Qui est derrière Giselle? _____ Monique. _____ sympa!

4. Qu'est-ce que c'est? _____ une craie.

5. Et cela? Qu'est-ce que c'est? _____ des crayons.

6. Est-ce que tu connais ces étudiants?
                                Oui! _____ des étudiants de Nantes.

7. Comment sont-ils? _____ très sérieux!

8. Aimes-tu Marie et Pamela? Non! _____ désagréables.

Exercice 17

Le verbe être (suite)

I.Complete the following sentences with the correct forms of the verb être.

1. Je m'appelle Marc et je _____ étudiant. J'étudie la philosophie et les cours

_____ difficiles. Le professeur n'_____ pas toujours patient avec nous (les

étudiants). Quelquefois, nous _____ fatigués et irritables, mais dans l'ensemble

le programme _____ bon. Et toi, tu _____ étudiant?

2. Quel jour _____-nous?

3. Excusez-moi monsieur, vous _____ le professeur de mathématiques?

4. Les étudiants _____ dans la bibliothèque.

II. C'est ou il est? Complete the following sentences with c'est, il est, ce sont, ils sont, elle est, or elles sont.

1. Voici mon ami Marcel. _____ très sympathique. _____ étudiant en chimie. _____ un ami merveilleux!

2. Le vin? _____ excellent!

3. _____ des Belges?
Ah non ! _____ des Français.

4. Qu'est-ce que c'est?
_____ une table.
Et cela?
_____ des stylos.

5. Je parle souvent à Marie et à Anne. _____ très intelligentes.

Exercice 18

La négation (ne...pas)

Rewrite the following sentences in the negative.

Model: J'aime le rock
                Je n'aime pas le rock.

1. Nous travaillons à la bibliothèque.

2. Elle cherche son livre.

3. J'habite à Bellevue.

4. Ils aiment regarder la télévision.

5. Vous étudiez la psychologie.

6. Tu skies souvent.

7. Nous rêvons pendant le cours.

8. J'aime écouter la radio.

9. Elles mangent au restaurant.

10. Ça va!

11. Vous dansez bien.

12. Il demande de l'aide.

13. Tu visites le musée.

Exercice 19

Interview

<u>Answer the following questions in complete sentences.</u>

1. Comment vous appelez-vous?

1. Qu'est-ce que vous étudiez à l'université?

1. Est-ce que vous travaillez?

1. Est-ce que vous parlez anglais? allemand?

1. Est-ce que vous habitez à la cité-u?

1. Est-ce que vous étudiez à la bibliothèque?

1. Est-ce que vous aimez la musique?

1. Est-ce que vous aimez le sport?

1. Est-ce que vous regardez souvent la télé?

1. Est-ce que vous aimez mieux les films d'aventures, d'amour ou de science-fiction?

1. Est-ce que vous écoutez souvent la radio?

1. Est-ce que vous aimez danser?

Exercice 20

Le verbe avoir

I. Complete the following sentences with the correct form of the verb avoir.

1. Marie, _____ - tu des amis à Paris?

2. Oui bien sûr, j'_____ beaucoup d'amis à Paris.

3. Pierre et Jean, _____- vous un chat?

4. Non, nous n'_____ pas de chat, mais nous _____ un lapin.

5. Mon ami Henri _____ un rat et mes parents _____ un lama!

II. Now read the following sentences carefully and choose an expression with avoir that would be logical in that sentence. Don't forget to conjugate avoir.

Model: - Aujourd'hui, c'est l'anniversaire de Françoise.
               - _____ ?
               - Elle a 5 ans.

               (answer: quel âge a-t-elle?)

1. Oh, je suis très fatigué! J' _____.

2. Il fait 90 degrés Farenheit! Nous _____.

3. Elle skie mais elle porte un tee-shirt! Elle _____.

4. Bernard va au casino et gagne $1000! Il _____.

5. Pour étudier, vous _____ un livre.

6. Il est 12h30! J'_____.

7. Vous jouez au tennis une heure. Vous _____.

8. Est-ce que "vous parlons français" est correct?
Non! Tu _____.

9. Alors, c'est "vous parlez français"?
Oui, tu _____.

10. Je n'aime pas les tempêtes! Je _____.

Exercice 21

Le verbe avoir (suite)

<u>Answer the following questions in full sentences:</u>

1. Quel âge avez-vous?

2. Avez-vous peur des lions?

3. Avez-vous chaud? froid?

4. Avez-vous faim? soif?

5. Avez-vous envie d'étudier aujourd'hui?

6. De quoi avez-vous besoin pour écrire au tableau?

7. En général, avez-vous de la chance?

8. Avez-vous sommeil maintenant?

9. Avez-vous rendez-vous chez le dentiste aujourd'hui?

10. Est-ce que vos professeurs ont l'air sympathique?

L'accord des adjectifs

Complete the following sentences with adjectives according to the model. Do not forget to agree the adjectives with the nouns they refer to.

Model: Robert est intelligent.
             Roberta est intelligente.

1.   Paul est sérieux.
         Paula est _____.

2.   Antoine et Jacques sont sportifs.
         Marie et Monique sont _____.

3.   Ce pantalon est cher.
         Cette robe est _____.

4.   Vincent est gentil.
         Marina est _____.

5.   Cette chaise est bleue.
         Ces crayons sont _____.

6.   Quel beau blouson!
         Quelle _____ cravate!

7.   Il porte un chapeau marron.
         Il porte une chemise _____.

8.   Ces deux blousons sont verts.
         Ces deux jupes sont _____.

9.   André est français.
         Andréa et Monique sont _____.

10.   Cette femme est canadienne.
         Cet homme est _____.

11.   Nicolas est dynamique.
         Nicole est _____.

12.   Je porte un manteau blanc.
         Je porte des chaussettes _____.

Exercice 23

L'accord des adjectifs (suite)

Complete the following sentences with the correct form of the adjectives in parentheses.

1. Mes professeurs sont _____ (intéressant) et _____ (sympathique).

2. Nos stylos sont _____ (rouge) et _____ (bleu).

3. Vous portez de _____ (beau) chaussures _____ (noir).

4. Monique est à la fois _____ (sportif) et _____ (intellectuel).

5. Marie et Sylvie sont très _____ (travailleur).

6. Ce costume est assez _____ (cher), mais cette cravate n'est pas _____ (cher).

7. Ces étudiantes sont de Paris. Elles sont _____ (parisien).

8. Est-ce que tu vas porter ta jupe _____ (violet)?

9. La chemise de Marc est _____ (gris) et _____ (blanc).

10. Richard et Charles sont _____ (sociable).

11. Michèle et Anna sont _____ (excentrique).

12. La salle de classe est _____ (grand) et _____ (agréable).

13. C'est une étudiante _____ (exceptionnel). Ses parents sont très _____ (fier) d'elle.

14. Ces livres sont _____ (nouveau).

15. Notre grand-mère est _____ (courageux).

16. Ces étudiants sont _____ (américain).

17. Céline Dion est _____ (canadien).

Exercice 24

Phrases à composer

Write complete sentences from the following elements:

1. Michèle / porter / chemisier / rouge, / jupe / blanc / et / chaussures / noir.

2. elle / être / élégant, / dynamique / et / travailleur.

3. ce / être / sandales / marron.
   elles / ne...pas / être / violet.
   elles / être / confortable.

4. Jacques et André / être / étudiant.
   ils / ne...pas / être / sportif / mais / ils / être / sympathique.

5. Andréa et Jeanine / ne...pas / être / gentil.
   elles / être / moqueur, / paresseux / et / désagréable.

6. enfants / être / sincère / et / honnête.

7. Marie / être / professeur / dans / beau / université.

Exercice 25

Est-ce que et l'inversion

Rewrite the following questions using the inversion. Follow the model.

Model: Est-ce que tu travailles?
                    Travailles-tu?

1.   Est-ce que vous aimez le rock?

2.   Est-ce que Paul est suisse?

3.   Est-ce que les étudiants sont fatigués?

4.   Est-ce que la craie est blanche?

5.   Est-ce que vous portez un chapeau?

6.   Est-ce que Sylvie rêve pendant le cours?

7.   Est-ce que Marc aime le rap?

8.   Est-ce que la salle de classe est petite?

9.   Est-ce que tu étudies beaucoup?

10.   Est-ce que Michel porte un costume?

11.   Est-ce que vous êtes calme?

12.   Est-ce que Sophie mange souvent au restaurant?

Exercice 26

Est-ce que et l'inversion (suite)

Posons des questions! Which questions could correspond to the following answers?
Alternate the est-ce que form with the inversion, starting the exercice with est-ce que.

1.
Non, nous sommes anglais.

2.
Oui, je parle italien.

3.
Oui, nous aimons l'opéra.

4.
Non, elle ne skie pas.

5.
Non, nous n'écoutons pas souvent la radio.

6.
Oui, Marc porte une cravate aujourd'hui.

7.
Oui, Sylvie est professeur de français.

8.
Non, Pierre et Monique ne sont pas sociables.

9.
Oui, cette chaise est confortable.

10.
Oui, les étudiants sont sérieux.

11.
Oui, j'aime regarder la télévision.

12.
Non, Marie n'habite pas à Paris.

Exercice 27

Encore des questions

<u>Formulate the questions that correspond to the following answers:</u>

1.
Oui, les étudiants sont intelligents.

2.
Non, ils n'aiment pas le rock.

3.
Non, Marie et Sonia ne sont pas sympathiques.

4.
Oui, nous regardons la télévision.

5.
Oui, tu es sympathique.

6.
Oui, Sophie aime la musique.

7.
Non, il ne parle pas français.

8.
Oui, nous parlons anglais.

9.
Oui, il écoute la radio,

10.
Oui, Marie est drôle.

11.
Non, Pierre et Jean ne sont pas sociables.

12.
Oui, le tableau est blanc.

Les prépositions à et de

I. À

1.   Il habite **à** Paris   EMPLACEMENT
         Il étudie **à** l'université

         Il arrive **à** New-York   DESTINATION
         Il va **à** la bibliothèque

2.   Il parle **à** un ami
         Tu téléphones **à** tes parents   CERTAINS VERBES
         Je donne un livre **à** une personne (parler, téléphoner, donner, montrer)
         Elle montre l'exercice **à** une étudiante

NOTE:
Il parle à son amie
Il parle à l'étudiant
Il parle <u>au</u> professeur ("à le" n'existe pas)
Il parle <u>aux</u> professeurs ("à les" n'existe pas)

<u>Exercice</u>: Complétez les phrases suivantes.

Il arrive _____ cafétéria. Il arrive _____ restaurant.
Il montre le livre _____ étudiants. Il va _____ école.

II. DE

1.   Il est **de** Paris   PROVENANCE
         Il arrive **de** Seattle

         C'est le livre **de** Jeff   POSSESSION
         C'est la veste **de** Joe

         Nous parlons **de** grammaire   VERBE: parler de (to talk about)

NOTE:
Il parle de la télévision française.
Il parle de l'université.
Il parle <u>du</u> professeur. ("de le" n'existe pas)
Il parle <u>des</u> étudiants. ("de les" n'existe pas)

<u>Exercice</u>: Complétez les phrases suivantes.

Il arrive _____ bibliothèque. Il arrive _____ restaurant.
Il parle _____ cours de français.

ATTENTION: <u>Jouer à / jouer de</u>

Je joue au tennis, aux cartes, à la belote etc...   jeu / sport
Je joue de la guitare, du piano etc...   instrument

<u>Exercice:</u> **Complétez les phrases suivantes.**

Marie joue _____ piano.
Moi, je joue _____ tennis.
Nous jouons _____ flûte.
Henri et Pierre jouent _____ football.

Exercice 28

Les prépositions à et de

Complete the following sentences using à or de (and their other forms).

1. Où est-ce que tu étudies? J'étudie _____ la bibliothèque.

2. Où est-ce que tu manges? Je mange _____ restaurant universitaire.

3. Voici la chaise _____ professeur et voilà les chaises _____ étudiants.

4. Nous parlons souvent _____ l'université.

5. Marc parle _____ Sophie.

6. Ma famille est _____ Los Angeles.

7. Henri joue _____ tennis avec Alex.

8. Martine joue _____ piano et _____ la guitare.

9. Est-ce que tu joues _____ football?

10. Vous aimez jouer _____ cartes.

11. Nous dansons _____ la discothèque.

12. Je téléphone souvent _____ mon amie Sylvie.

13. Le vol 407 en provenance _____ San Francisco va arriver _____ Montréal.

14. Le professeur aime parler _____ étudiants après le cours.

15. Où est Paul? Il arrive juste _____ la bibliothèque.

Exercice 29

Les prépositions à et de (suite)

I. Complete the following sentences using à or de (and their other forms).

Le midi, je mange souvent _____ restaurant universitaire mais quand je n'ai pas le temps je mange un sandwich _____ bureau.

J'aime voyager! Je visite la France. J'arrive _____ Paris. Puis je vais _____ Londres et _____ Bruxelles.

Voici le livre _____ Marc. Mais ce livre est le livre _____ professeur.
C'est le manteau _____ jeune fille.

Marie donne son livre _____ Marc.

Les étudiants français aiment parler _____ cinéma et _____ politique.

Téléphonez-vous parfois _____ professeur?

Maurice est _____ Marseille et Sylvie est _____ Lyon. Ils sont français.

II. Ask your partner the following questions:

1- Où manges-tu généralement?

2- Où étudies-tu?

3- Aimes-tu parler des élections? Aimes-tu parler de l'économie? Aimes-tu parler de l'université?

4- Est-ce que tu joues au tennis? au football? au golf? au basket?
Est-ce que tu joues du piano? de la guitare? du violon? de l'orgue, du saxophone?

5- Joues-tu aux cartes avec tes amis quelquefois?

6- Où vas-tu danser en général?

7- Aimes-tu aller au concert?

8. Est-ce que ta famille est de New-York?

Exercice 30

Phrases à composer

Write complete and correct sentences out of the following elements. Don't forget to conjugate the verbs and make any necessary changes to obtain a grammatically sound sentence.

1. Marie / être / étudiant / université / Bordeaux

2. elle / être / sérieux / et / gentil

3. elle / aimer / porter / chemisier / vert / et / jupe / blanc

4. elle / ne...pas être / sportif/

5. elle / préférer / regarder / télévision

6. elle / être / musicien

7. elle / jouer / piano / et / flûte (fém.)

8. elle / aimer / aussi / jouer / cartes

9. et vous? / aimer mieux / vous / sport / ou / musique?

Exercice 31

La négation et l'article indéfini

I. Rewrite the following sentences in the negative.

1. Je mange un sandwhich.

1. J'ai une lampe dans ma chambre.

1. Nous avons des amis en France.

1. C'est une table ancienne.

2. Il y a des fleurs dans ma cuisine.

3. Tu portes une robe aujourd'hui.

4. Elle écoute une symphonie de Beethoven.

5. Ce sont des poèmes de Baudelaire.

6. Vous avez un canapé.

7. Il y a un lavabo dans ta chambre.

II. Interview: ask each other the following questions:

1. As-tu un chat? Un chien?
2. As-tu des amis intéressants? Des amis snobs? Des amis bizarres?
3. As-tu des livres russes? Des livres français? Des livres anglais?
4. Portes-tu une cravate aujourd'hui? Un blouson? Un short?
5. Aimes-tu la musique?
6. As-tu un piano à la maison? Une guitare? Une radio?

Exercice 32

La négation et l'article indéfini (suite)

Answer the following questions in a negative way, paying special attention to the articles that are used.

1. Aimez-vous les escargots?

2. Mangez-vous des escargots?

3. Avez-vous une radio?

4. Ecoutez-vous la radio?

5. Est-ce que c'est un ami?

6. Avez-vous des affiches dans votre chambre?

7. Est-ce qu'il y a un tapis dans la salle de classe?

8. Aimez-vous le rap?

9. Portez-vous souvent une cravate?

10. Est-ce que le professeur porte un chapeau?

11. Etudiez-vous la philosophie?

12. Allons-nous écouter une chanson française?

13. Est-ce que Paul Simon est un chanteur français?

Exercice 33

Questions

<u>Answer the following questions in full sentences:</u>

1. Où habitez-vous?

2. Comment est votre logement?

3. Quand allez-vous au cinéma en général?

4. Pourquoi étudiez-vous le français?

5. Où aimez-vous étudier?

6. Combien de tapis avez-vous chez vous?

7. Qui est votre ami?

8. Qu'est-ce que vous aimez manger?

9. Qu'étudiez-vous?

10. A qui téléphonez-vous souvent?

11. Comment allez-vous à l'université?

12. Quand est-ce que vous jouez au tennis?

Exercice 34

Questions (suite)

<u>Write the questions that could correspond to the following answers, focusing on the underlined part of the sentence. Alternate the use of the est-ce que form and the inversion.</u>

1.
Le livre est <u>sur la table</u>.

2.
Je porte un manteau <u>parce que j'ai froid</u>.

3.
<u>Mes amis</u> sont arrivés.

4.
Nous mangeons souvent <u>des croissants</u>.

5.
Maurice est <u>sérieux et sincère.</u>

6.
Elles parlent <u>à Monique</u>.

7.
Aujourd'hui, je porte <u>un pantalon et une chemise</u>.

8.
Nous avons <u>cinq</u> livres.

9.
Je skie <u>le samedi ou le dimanche</u>.

Exercice 35

Encore des questions

Marina habite à la cité universitaire. Elle a une chambre agréable mais petite. Le matin, elle est à l'université parce qu'elle a des cours. Le midi elle mange au restau-u, et l'après-midi elle travaille. Le soir elle regarde la télé et elle étudie. Marina a 5 amis. Ils sont très sympathiques. Elle aime parler à ses amis. Ils parlent de cinéma et de musique. Le week-end elle téléphone à ses parents. Ils habitent à Dallas. Marina aime jouer au softball.

<u>Ask as many questions as you can about the text above.</u>

Exercice 36

Les verbes en -ir

Substitute the subjects indicated for each sentence and conjugate the verbs correctly.

1. Nous choisissons des cours.

Elle _____ des cours.

Tu _____ des cours.

2. Je réfléchis à ta question.

Nous _____ à ta question.

Ils _____ à ta question.

3. Elle finit le travail à 17 heures.

Vous _____ le travail à 17 heures.

Je _____ le travail à 17 heures.

4. Vous agissez très vite.

Tu _____ très vite.

Elles _____ très vite.

5. Nous réussissons à l'examen.

Je _____ à l'examen.

Il _____ à l'examen.

Exercice 37

Les verbes en –ir (suite)

Substitute the subjects indicated and conjugate the verbs correctly.

6   Tu réfléchis beaucoup. (nous, Paul, les étudiants)

6   Marc choisit un livre. (vous, je, les jeunes filles)

6   Je réussis à trouver une revue intéressante. (Anne, tu, nous)

6   Nous finissons le travail. (je, les professeurs, vous)

6   Elle agit souvent sans réfléchir. (Anne et Paul, tu, nous)

6   Ils finissent toujours par pleurer. (vous, je, elle)

6   Je finis de manger. (nous, elles, tu)

Exercice 38

La place de l'adjectif dans la phrase

Insert the adjectives in parentheses into the following sentences. Make sure you remember the agreement and the placement of each adjective.

Model: J'aime ces chiens. (petit, marron)
                  J'aime ces petits chiens marron.

1. Nous achetons une maison. (bleu, grand)

2. C'est un livre. (gros, difficile)

3. C'est une femme. (français, jeune)

4. Vous aimez les voitures. (beau, rouge)

5. Nous visitons une église. (roman, vieux)

6. Papa raconte une histoire (long, intéressant)

7. Quels tapis! (persan, beau)

8. Regarde cet homme (pauvre, malade)

9. Voici mon amie. (nouveau, américain)

10. Je vais dans cette boulangerie. (excellent, petit)

11. Nous parlons à ces femmes. (joli, italien)

12. Quelles fleurs! (magnifique, rose)

Exercice 39

La place de l'adjectif dans la phrase (suite)

<u>Insert the adjectives in parentheses into the following sentences. Make sure you remember the agreement and the placement of each adjective.</u>

1. Paris est une ville. (grand / splendide)

2. Il y a beaucoup de gâteaux en France. (petit/ délicieux)

3. Elle raconte une histoire aux enfants. (intéressant / long)

4. Sur la table, il y a des livres. (difficiles / gros)

5. J'aime ta robe. (nouveau / vert)

6. Notre professeur est une dame. (français / vieux)

7. Nous avons un arbre. (beau / majestueux)

8. Ce sont des étudiantes. (nouveau / étranger)

9. Tu as une maison. (beau / bleu)

10. C'est une voiture. (italien / joli)

Exercice 40

Quel temps fait-il?

Write in French what the weather is like in the following places and situations.

1. Quel temps fait-il à Moscou en décembre?

2. Quel temps fait-il à Londres en mars?

3. Quel temps fait-il à Hawaii en général?

4. Quel temps fait-il à Seattle en hiver?

5. Quel temps fait-il à Paris en été?

6. Quel temps fait-il à Chicago en hiver?

7. Quel temps fait-il en Bretagne au printemps?

8. Quel temps fait-il à New-York en juillet?

9. Quel temps fait-il à Montréal en décembre?

10. Quel temps fait-il à Tahiti en général?

Exercice 41

Adjectifs possessifs

Complete the following sentences with the correct possessive adjectives.

1. Monique a un tapis. C'est _____ tapis.

2. J'ai une table. C'est _____ table.

3. Vous avez une chaise. C'est _____ chaise.

4. Paul a une maison. C'est _____ maison.

5. Tu as une radio. C'est _____ radio.

6. Nous avons des amis. Ce sont _____ amis.

7. Ils ont des livres. Ce sont _____ livres.

8. Marie a une télévision. C'est _____ télévision.

9. J'ai des disques. Ce sont _____ disques.

10. Tu as une affiche. C'est _____ affiche.

11. Vous avez des stylos. Ce sont _____ stylos.

12. J'ai un oncle. C'est _____ oncle.

13. Robert a des cousins. Ce sont _____ cousins.

14. Nous avons une grand-mère. C'est _____ grand-mère.

15. Elles ont un beau-père. C'est _____ beau-père.

Exercice 42

Adjectifs possessifs (suite)

Substitute the words in parentheses for the underlined words in each sentence and make the necessary changes.

Model: J'habite avec mes parents. (père)
            J'habite avec mon père.

1. Je parle avec ta femme. (enfants)

2. Nous mangeons avec vos amis. (amie)

3. Philippe aime son fils. (fille)

4. J'adore mon tapis. (affiches)

5. Ils jouent avec leur chien. (chats)

6. Nous voyageons avec notre cousin. (cousines)

7. Je mange avec mes parents. (mère)

8. Elle téléphone à sa tante. (oncle)

9. Vous skiez avec vos nièces. (neveu)

10. Tu parles à ton professeur. (professeurs)

Exercice 43

Le verbe aller

I. Conjugate the verb aller correctly in the following sentences.

1. Où _____ -tu?

2. Je _____ au cinéma.

3. Et Monique où est-ce qu'elle _____?

4. Je ne sais pas. Ce soir, nous _____ manger au restaurant.

5. _____ - vous nous rendre visite?

6. Jacques et Maurice _____ bien.

II. Rewrite the following sentences in the futur proche (aller + infinitif).

1. Je danse.

2. Nous choisissons un livre.

3. Elle regarde la télé.

4. Vous ne mangez pas au restaurant.

5. Ils vont à la bibliothèque.

6. Elle est sérieuse.

7. Tu as faim.

8. Vous avez envie de skier.

9. Je ne vais pas au marché.

10. Nous finissons l'exercice.

Exercice 44

Le verbe aller (suite)

<u>Answer the following questions writing full sentences.</u>

1. Est-ce que vous allez travailler aujourd'hui?

2. Est-ce que vous allez aller au cinéma ce soir?

3. Qu'est-ce que vous allez manger ce soir?

4. Est-ce que vous allez jouer au tennis aujourd'hui?

5. Où est-ce que vous allez voyager cet été?

6. Allez-vous finir vos devoirs ce soir?

7. Allez-vous regarder la télé ce soir?

8. Allez-vous chercher un livre à la bibliothèque cet après-midi?

9. Allez-vous réussir à votre examen?

10. Allez-vous rendre visite à vos parents ce week-end?

Exercice 45

Le verbe faire

I. Conjugate the verb faire correctly in the following sentences.

1. Nous _____ une promenade.

2. Qu'est-ce que tu _____?

3. Je _____ mes devoirs.

4. Aujourd'hui il ne _____ pas beau.

5. Est-ce que vous _____ vos courses dans ce magasin?

6. Elles ne _____ pas attention à lui.

II. Find which expression with faire would correspond to each of the following sentences.

1. Quand je vais au magasin et qu'il y a beaucoup de personnes, il est nécessaire de _____.

2. Quand mes vêtements sont sales, je dois _____.

3. Après le dîner, nous _____.

4. Quand il fait beau, j'aime _____ dans le parc.

5. Ta maison est en désordre et elle n'est pas propre! Il faut _____.

6. Nous allons en France. Nous allons _____.

7. Le soir, les étudiants doivent _____.

8. Avant de manger, il est nécessaire de _____.

9. Quand mon réfrigérateur est vide, je dois _____.

10. Je vais te présenter mon amie Monique. Vous allez _____.

Exercice 46

Le verbe faire (suite)

<u>Answer the following questions in complete sentences.</u>

1. Qui fait le ménage chez vous?

2. Quand faites-vous la lessive?

3. Est-ce que vos parents font souvent une promenade?

4. Où faites-vous vos courses?

5. Allez-vous faire un voyage bientôt?

6. Aimez-vous faire la vaisselle?

7. Où fait-on la queue en général?

8. Où faites-vous vos devoirs?

9. Quand faites-vous le ménage?

Exercice 47

Les verbes en -re

Substitute the subjects indicated for each sentence and conjugate the verbs correctly.

1. J'attends mes amis.

Nous _____ nos amis.

2. Je descends de la voiture.

Elles _____ de la voiture.

3. Nous répondons à la lettre.

Tu _____ à la lettre.

4. Vous perdez la mémoire!

Je _____ la mémoire.

5. Tu rends visite à Paul.

Il _____ visite à Paul.

6. Ils entendent du bruit.

Vous _____ du bruit.

7. Je vends des maisons.

Nous _____ des maisons.

8. Tu rends ce livre à la bibliothèque.

Elle _____ ce livre à la bibliothèque.

Exercice 48

Verbes en –re (suite)

Substitute the sujects indicated and conjugate the verbs correctly.

1. Tu attends ton dessert. (nous / Paul / les étudiants)

2. Ils descendent du bus. (vous / elle / je)

3. Entendez-vous la musique? (il / tu / elles)

4. Je perds souvent mes clés. (ils / nous / tu)

5. Nous rendons visite à nos parents. (je / il / vous)

6. Je réponds au téléphone. (tu / nous / elles)

Exercice 49

Récapitulation de verbes

Conjugate the verbs in parentheses in the present tense.

1. Nous _____ (faire) un tour.

2. Elles _____ (aller) au théâtre.

3. Vous _____ (avoir) faim et soif.

4. Je _____ (être) fatiguée.

5. Tu _____ (agir) trop vite.

6. Il _____ (jouer) au football.

7. Nous ne _____ (manger) pas chez nous ce soir.

8. Vous _____ (faire) une erreur.

9. Ils _____ (descendre) à Marseille.

10. Elle ne _____ (perdre) pas patience.

11. Je _____ (choisir) un cours.

12. Tu _____ (être) très gentil.

13. Nous _____ (avoir) de la chance.

14. Marc _____ (rendre) visite à Marie.

15. Jacques et moi _____ (réussir) à notre examen.

16. Vous _____ (finir) par vous énerver.

17. Je _____ (aller) faire des courses.

18. Tu _____ (vendre) ta voiture.

19. Nous _____ (réfléchir) à cette question.

20. Elles _____ (faire) du jogging.

Exercice 50

Interview

<u>Ask each other the following questions:</u>

1. Est-ce que tu vas manger après le cours de français?

2. Est-ce que tu vas travailler aujourd'hui?

3. Est-ce que tu vas étudier ce soir?

4. Est-ce que tu vas bientôt jouer au tennis? au football? aux cartes?

5. Est-ce que tu vas aller au cinéma la semaine prochaine? ce week-end?

6. Est-ce que tu vas aller au restaurant demain?

7. Qu'est-ce que tu vas faire dans 2 jours? dans 3 jours?

8. Est-ce que tu vas vendre ta voiture bientôt?

9. Est-ce que tu vas aller au cinéma avec tes amis ce week-end?

10. Qu'est-ce que tu vas manger cet après-midi?

11. Est-ce que tu vas réfléchir à tes problèmes aujourd'hui?

12. Est-ce que tu vas finir tes devoirs ce soir?

13. Est-ce que tu vas danser à la discothèque ce week-end?

14. Est-ce que tu vas réussir à l'examen de français?

15. Est-ce que tu vas jouer au tennis cet après-midi?

16. Est-ce que tu vas répondre à une lettre aujourd'hui?

17. Est-ce que tu vas avoir sommeil ce soir?

18. Est-ce que tu vas faire de l'aérobic demain?

19. Est-ce que tu vas perdre patience avec tes amis aujourd'hui?

20. Est-ce que tu vas rendre visite à tes amis aujourd'hui?

Exercice 51

PREPOSITIONS ET VERBES

I. QUELQUES PHRASES MODELES:

<u>3 "verbes-pièges" en français pour les anglophones:</u>
J'écoute la radio.
Je regarde le tableau.
Je cherche un livre.

<u>Verbes utilisant la préposition "à":</u>
Je parle à mon professeur.
Je réussis à l'examen.
Je joue au football.
Je réfléchis à ta question.
Je téléphone à mes amis.
Je rends visite à mes parents.
Je réponds à ta question.

<u>Verbes et expressions utilisant la préposition "de":</u>
Je parle de mes études.
Je finis de travailler à 6 heures (MAIS: je finis mon sandwich)
Je joue du piano.
Je rêve de voyager.
J'ai envie de dormir.
J'ai besoin de travailler.
J'ai peur de l'examen

II. EXERCICE: Complétez les phrases suivantes.

Je désire réussir _____ mon examen de maths. Aujourd'hui, je vais parler _____ prof et il va répondre _____ mes questions. Je rêve _____ être excellent en maths. Je vais beaucoup étudier, je vais écouter _____ professeur pendant les cours, je vais regarder _____ mon livre de maths plus souvent, et je vais réfléchir _____ explications du livre! J'ai besoin _____ étudier! Je ne vais pas avoir le temps de jouer _____ baseball ni de jouer _____ guitare!

J'ai envie _____ sortir avec mes amis samedi soir mais ce n'est pas raisonnable. J'ai peur _____ me lever trop tard dimanche! Je vais plutôt étudier chez moi, et je vais certainement finir _____ étudier très tard. Si j'ai le temps, je vais téléphoner _____ mon ami Marcel pour lui poser quelques questions. Nous allons parler _____ cours de maths!

Les verbes préférer, répéter, célébrer et considérer

Conjugate the verbs in parentheses. Watch out for the accents.

1. Nous _____ (préférer) manger des fruits.

2. Je _____ (célébrer) mon anniversaire.

3. Mes amis _____ (considérer) cela impossible.

4. Le professeur _____ (répéter) souvent les mêmes choses.

5. Est-ce que tu _____ (préférer) la viande ou le poisson?

6.. Mes grands-parents _____ (répéter) toujours la même question?

7. Est-ce que vous _____ (célébrer) le 14 juillet?

8. Les Américains _____ (célébrer) le 4 juillet.

Exercice 53

Le verbe prendre et le verbe boire

Conjugate the verbs prendre and boire correctly in the following sentences.

1. Que _____ (prendre) - vous le midi?

2. Je _____ (prendre) du riz et des légumes et je _____ (boire) du thé.

3. Est-ce que tu _____ (prendre) un petit-déjeuner?

4. Nous _____ (boire) du café.

5. Elles _____ (boire) de la bière.

6. Ils _____ (prendre) un coca et un perrier.

7. Nous _____ (prendre) notre temps.

8. Jacques _____ (prendre) ses vacances en Espagne.

9. Emilie _____ (boire) de l'eau minérale.

10. Est-ce que vous _____ (boire) de la vodka?

11. Et toi, est-ce que tu _____ (boire) du Martini?

Exercice 54

Les articles partitifs

Complete the following sentences using partitive articles (du, de la, de l', des). Be careful with the negative structures!

1. Ce soir, je vais manger _____ poulet et _____ frites.

2. Nous allons boire _____ café et _____ thé.

3. Jean boit _____ bière quand il mange _____ choucroute.

4. Nous prenons _____ haricots verts.

5. Je mange _____ beurre avec mon pain.

6. Avez-vous _____ confiture?

7. Il mange _____ chocolat et il boit _____ lait.

8. Les Français boivent _____ vin.

9. Ils mangent aussi _____ fromage.

10. Est-ce que tu prends _____ sucre dans ton café?

11. Non, je ne prends pas _____ sucre.

12. Je voudrais _____ tarte aux pommes et _____ gâteau.

13. Tu manges _____ pain et _____ jambon.

14. Ils prennent _____ poisson et _____ salade.

15. Elle va acheter _____ viande et _____ oeufs. Elle ne va pas acheter _____ poisson.

16. Veux-tu _____ lait dans ton thé?

17. Non merci, je ne prends pas _____ lait.

18. Il est bon de manger _____ fruits et _____ légumes.

19. Je vais faire une salade avec _____ laitue et _____ tomates.

20. Tu ne manges pas _____ fromage.

Exercice 55

Articles

I. PARTITIFS

Complete the following sentences with the correct partitive articles.

1.   - Maman, que mange-t-on ce soir?
        - On va manger _____ veau et _____ pommes de terre. On va boire
        _____ vin et _____ eau.

2.   Le midi, je prends souvent un sandwich et le soir, je prends _____ poisson
        et _____ légumes.

3.   En général, on mange des céréales avec _____ lait et du pain avec _____
        beurre et _____ confiture.

4.   Avant le dessert, les Français prennent _____ fromage. Ensuite ils prennent
        _____ fruits.

5.   Aujourd'hui je vais faire des courses. Je vais acheter _____ viande, _____
        légumes et _____ boissons. Je vais aussi prendre _____ pain et _____
        gâteaux.

II. ARTICLES DIVERS

Complete the following sentences with the correct articles.

1.   _____ fruits sont bons pour la santé et _____ légumes aussi. Par contre, il
        vaut mieux éviter de manger beaucoup _____ gâteaux. Il ne faut pas boire
        trop _____ café non plus.

2.   Dans ma famille, nous n'aimons pas _____ lait mais nous mangeons _____
        fromage et _____ yaourts.

3.   _____ fromages français sont très forts en général mais il y a _____
        fromages plus doux que d'autres. Personnellement je déteste _____
        fromages trop forts, mais beaucoup _____ Français les adorent.

4.   Après le déjeuner, les Français aiment prendre _____ café.

5.   Ma tante fait toujours _____ promenade après son déjeuner.

6.   Les enfants aiment _____ glace et _____ bonbons.

Exercice 56

Récapitulation des articles

Complete the following sentences with articles. Any article can be used here. Be careful with the negative structures.

1. _____ légumes sont excellents pour la santé.

2. J'adore _____tomates mais je n'aime pas _____ carottes.

3. As-tu _____ café?

4. Nous buvons _____ eau minérale pendant _____ repas.

5. Aimez-vous _____ fromage de chèvre?

6. Jacques boit _____ thé mais Marie ne boit pas _____ thé. Elle préfère _____ café.

7. Mes enfants n'aiment pas _____ lait mais ils boivent _____ jus d'orange.

8. Le matin, nous prenons _____ pain, _____ beurre et _____ confiture. Nous ne prenons pas _____ oeufs.

9. Mangez-vous _____ yaourts comme dessert?

10. On laisse souvent _____ sel et _____ poivre sur la table.

11. Les enfants aiment _____ chocolat mais ils n'aiment pas _____ légumes.

12. Comme viande, elle aime _____ boeuf et _____ agneau, mais elle n'aime pas _____ porc.

13. _____ poisson est souvent plus cher que _____ viande.

14. Buvez-vous assez _____ eau?

15. Il est important de boire beaucoup _____ eau mais il ne faut pas boire trop _____ café.

16. Je vais acheter _____ fraises parce que j'adore _____ fraises.

Exercice 57

Interview

Ask your partner the following questions:

1. Qu'est-ce que tu aimes manger au petit déjeuner? au déjeuner? au dîner?

2. Est-ce que tu prends un goûter?

3. Qu'est-ce que tu aimes comme viande? comme légume? comme dessert? comme boisson?

4. Achètes-tu souvent des gâteaux?

5. Manges-tu beaucoup de pain?

6. Est-ce que tu manges du beurre avec ton pain?

7. Bois-tu beaucoup de lait?

8. Aimes-tu la bière? l'eau? le vin?

9. Quel est ton fruit préféré?

10. Préfères-tu le poisson ou la viande?

Exercice 58

Enquête sur votre alimentation

Answer the following questions in full sentences:

1. Que buvez-vous le matin?

2. Est-ce que vous prenez des céréales au petit-déjeuner?

3. Quel est votre fruit préféré?

4. Buvez-vous beaucoup d'eau?

5. Aimez-vous le vin rouge? le vin blanc?

6. Achetez-vous souvent du pain?

7. Mangez-vous du beurre avec votre pain?

8. Buvez-vous du lait?

9. Quel est votre repas préféré?

10. Aimez-vous les crêpes?

11. Mangez-vous assez de légumes en général?

12. Aimez-vous les haricots verts?

13. Préférez-vous la viande ou le poisson?

14. Mangez-vous parfois du couscous?

Articles - Récapitulation

STRUCTURE POSITIVE

articles <u>définis</u>: le/la/les/l'

articles <u>indéfinis</u>: un/une/des

articles <u>partitifs</u>: du/de la/de l'/des

<u>Exemples</u>:

J'aime le chocolat
Je déteste la télé
J'étudie les maths

J'ai un chien
Je porte une jupe
J'ai des amis
Je bois du café
Je mange de la tarte
J'ai de l'ambition

STRUCTURE NEGATIVE

<u>articles définis</u>:   pas le/ pas la
                       pas les/ pas l'

<u>articles indéfinis et partitifs</u>: pas de

Je n'aime pas le chocolat
Je ne déteste pas la télé
Je n'étudie pas les maths

Je n'ai pas de chien
Je ne porte pas de jupe
Je n'ai pas d'amis
Je ne bois pas de café
Je ne mange pas de tarte
Je n'ai pas d'ambition

POUR LES EXPRESSIONS DE QUANTITES: Pas de changement

J'ai beaucoup de travail
J'ai assez de devoirs
J'ai une bouteille de Porto

Je n'ai pas beaucoup de travail
Je n'ai pas assez de devoirs
Je n'ai pas de bouteille de Porto

Exercice 59

L'impératif

Give commands to the following people, making full sentences out of the elements indicated.

Model: à votre ami: ne...pas / fumer
     Ne fume pas!

1. à votre frère: faire / vaisselle

2. à votre enfant: ne...pas / regarder / télé

3. à votre professeur: ne...pas / parler trop vite

4. à vos amis: arriver / 4 heures

5. à vos enfants: manger / légumes

6. à votre soeur: finir / salade

7. à votre ami: téléphoner / Sylvie

8. à votre mari: faire / ménage

9. à vous et vos amis: aller / cinéma

Exercice 60

L'impératif (suite)

<u>Give orders, using the imperative, to the following persons:</u>

1. à votre frère:
    faire / ménage
    aller / marché
    acheter / pain

2. à votre enfant:
    finir / soupe
    manger / sandwich
    téléphoner / grand-mère

3. à vos enfants
    faire / devoirs
    descendre / voiture
    ne... pas manger / bonbons

4. à vous et vos amis
    ne...pas boire / trop / café
    commander / eau
    jouer / football

5. à votre ami
    ne... pas rêver
    chercher / numéro de Suzanne
    ne... pas aller / discothèque

6. à vos parents
    ne... pas téléphoner / mes amis
    apprendre / parler français
    ne... pas avoir peur / pour moi

Exercice 61

Quelle heure est-il?

What time do the clocks indicate?

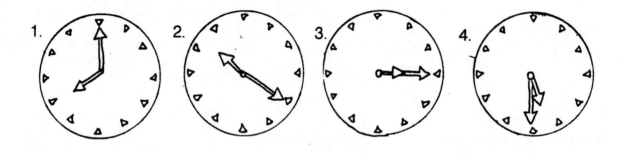

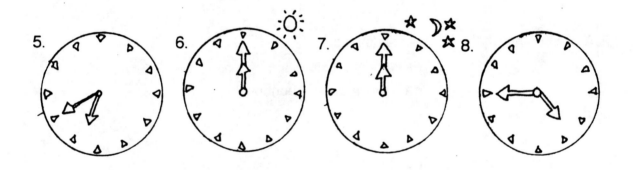

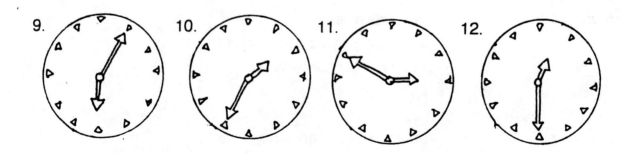

Exercice 62

Phrases à composer

Write complete and correct sentences out of the following elements. Don't forget to conjugate the verbs and make any necessary changes to obtain a grammatically sound sentence.

1. Michel / rendre visite / son / amie / Nicole

2. ils / aller / faire / promenade

3. Michel / faire / courses / et / il / acheter / pain / yaourts / et / fruits

4. Nicole / ne...pas / manger / yaourts / mais / elle / aimer / fruits

5. Michel et Nicole / boire / café / avec / lait / et / sucre

6. ils / manger / tarte / et / gâteaux

7. Nicole / aller / faire / ménage / et / lessive

8. ne...pas / avoir / peur!   Michel / aller / aider / Nicole!

9. il / aller / faire / cuisine

10. il / aller / préparer / légumes / et / viande / pour / dîner

Exercice 63

Les nombres de 60 à un million

Some more maths with bigger numbers this time! Make sure to say all the numbers outloud in French.

1. 47 + 53 =

2. 222 - 21 =

3. 100 x 3 =

4. 72 + 13 =

5. 91 - 9 =

6. 125 x 2 =

7. 81 + 90 =

8. 79 - 27 =

9. 456 x 1 =

10. 1918 + 24 =

11. 2347 - 45 =

12. 200 x 3 =

13. 583 + 17 =

14. 600 - 73 =

15. 1000 x 5 =

16. 76321 + 9 =

17. 987 - 80 =

18. 80 x 3 =

19. 666666 + 3 =

20. 999999 - 1 =

Exercice 64

L'adjectif interrogatif quel

<u>Complete the following sentences with the correct form of the adjective quel.</u>

1. _____ est votre adresse?

2. _____ gâteau préfères-tu?

3. Dans _____ boulangerie achètes-tu ton pain?

4. A _____ heure arrives-tu à l'université?

5. Avec _____ amis vas-tu aller au cinéma?

6. _____ fruits vas-tu manger?

7. _____ âge as-tu?

8. _____ temps fait-il?

9. _____ fromage aimes-tu?

10. _____ est ta boisson préférée?

11. Avec _____ plat prend-on du vin blanc?

12. _____ est ta musique favorite?

13. A _____ cours vas-tu?

14. Dans _____ maison habites-tu?

15. Dans _____ magasin fais-tu tes courses?

16. _____ affiche vas-tu acheter?

17. _____ amie te téléphone souvent?

18. De _____ couleur est ton pantalon?

19. _____ bel enfant!

20. _____ est votre nom?

Exercice 65

Adjectifs démonstratifs

Complete the following sentences with demonstrative adjectives (ce, cette, cet, ces)

1. _____ personnes sont célèbres.

2. Je vais lire _____ livre.

3. Nous allons manger _____ escargots.

4. Est-ce que tu aimes _____ salade?

5. _____ arbre est magnifique.

6. _____ haricots verts sont délicieux.

7. Connais-tu _____ jeune fille?

8. _____ boulangerie est fameuse.

9. Achetons _____ éclairs!

10. Je n'aime pas _____ poisson.

11. _____ homme est sympathique!

12. _____ pain n'est pas frais.

13. Comment prépare-t-on _____ plat?

14. _____ gâteau est excellent.

15. _____ sardines sont françaises.

16. Je parle à _____ étudiantes.

17. Veux-tu manger _____ tarte?

18. _____ bananes sont trop mûres.

19. _____ huître est minuscule.

20. J'adore _____ fromage!

Exercice 66

Adjectifs démonstratifs (suite)

Complétez les phrases suivantes à l'aide d'un adjectif démonstratif.

1. _____ homme s'appelle M. Durand.

2. _____ femme et _____ enfants parlent japonais.

3. _____ amis sont très sympathiques.

4. _____ leçon est difficile.

5. _____ après-midi je vais voir _____ film.

6. Je préfère _____ éclair-ci. Tu préfères _____ gâteau-là.

7. _____ escargots sont délicieux!

8. _____ magasin est très intéressant.

9. _____ tarte a l'air délicieux.

10. Je n'aime pas _____ fromage. Il est trop fort!

11. _____ boîte de sardines est très chère.

12. Micheline aime bien _____ haricots verts.

13. _____ glace est italienne.

14. _____ huître est énorme!

15. _____ tranche de gâteau a l'air délicieux.

16. _____ étudiants étudient tous les jours.

17. Tu n'aimes pas _____ porc?

18. Vous aimez _____ plat .

19. _____ argent est russe.

20. _____ boucherie est petite.

Exercice 67

Les verbes vouloir, pouvoir et devoir

VOULOIR

Qu'est-ce que vous _____ manger ce soir?
Nous _____ du poisson et des carottes.

Est-ce que tu _____ bien ouvrir la porte, s'il te plaît?

Je _____ obtenir une bonne note à mon examen.

Qu'est-ce que Sylvie et Jean _____ faire demain soir?
Ils _____ aller au cinéma.
Et André?
Il _____ rester à la maison.

POUVOIR

Quelles langues _____-vous parler?
Je _____ parler français et anglais.

Marc et Gérard _____-ils nager?
Non, ils ne _____ pas nager.

Est-ce que tu _____ m'accompagner à la gare?
Bien sûr, je _____ t'accompagner.

_____-vous conjuguer des verbes irréguliers?
Oui, nous _____ conjuguer des verbes irréguliers!

DEVOIR

_____-vous étudier vos leçons ce soir?
Oui, nous _____ étudier nos leçons ce soir.

Est-ce que Marie _____ aller à Paris?
Oui, elle _____ aller à Paris.

Est-ce que tu _____ apprendre à conjuguer des verbes irréguliers?
Oui, je _____ apprendre à conjuguer des verbes irréguliers.

Chantal et Monique _____- elles retourner en France?
Oui, elle _____ retourner en France.

Exercice 68

Les verbes vouloir, pouvoir et devoir (suite)

Conjugate the following verbs correctly. Use the present tense.

1. Que _____ (vouloir) - vous manger?

2. Nous _____ (vouloir) du canard à l'orange!

3. Mais je ne _____ (pouvoir) pas préparer cela!

4. Tu _____ (devoir) apprendre!

5. Nous _____ (pouvoir) choisir autre chose.

6. Qu'est-ce que tu _____ (vouloir), Paul?

7. Je ne sais pas ce que je _____ (vouloir)!

8. Est-ce que vous _____ (pouvoir) répondre à ma question?

9. Jean et Pierre ne _____ (pouvoir) pas parler anglais.

10. Ils _____ (devoir) étudier.

11. Marie _____ (devoir) travailler aujourd'hui.

12. Est-ce que tu _____ (pouvoir) m'aider?

13. Henri ne _____ (vouloir) pas te parler.

14. Est-ce qu'il _____ (pouvoir) faire des efforts?

15. Je _____ (devoir) écouter le professeur quand il parle.

16. Nous _____ (devoir) faire nos devoirs.

17. Est-ce qu'ils _____ (vouloir) apprendre le français?

18. Vous _____ (devoir) être fatigués après ce long voyage.

Exercice 69

Interview

<u>Obtain the following information from your partner. Ask him/her:</u>

1. ce qu'il/elle veut manger pour le dîner ce soir.

2. s'il/elle veut faire une promenade après le cours de français.

3. s'il/elle veut aller en France.

4. s'il/elle veut aller au restaurant avec vous.

5. s'il/elle veut jouer au tennis avec vous.

6. si ses parents veulent visiter Paris.

7. si sa mère veut apprendre le français.

8. s'il/elle et ses parents veulent faire le marché ce week-end.

9. s'il/elle peut compter (count) en français.

10. s'il/elle peut aller avec vous au cinéma ce soir.

11. s'il/eile peut bien chanter.

12. s'il/elle peut faire du ski.

13. s'il/elle peut nager.

14. si ses parents peuvent parler chinois.

15. si son père peut jouer du piano.

16. s'il/elle doit étudier le français ce soir.

17. s'il/elle doit aller chez le dentiste aujourd'hui.

18. ce qu'il/elle doit faire ce soir.

19. s'il/elle doit aller en France cet été.

20. s'il/elle doit faire de l'aérobic.

21. ce qu'il/elle doit faire pour recevoir de bonnes notes.

Exercice 70

Questionnaire

<u>Answer the following questions in full sentences.</u>

1. Est-ce que vous voulez travailler pendant les vacances?

2. Pouvez-vous parler japonais?

3. Est-ce que vos parents veulent apprendre le français?

4. Pouvez-vous compter en français?

5. Devez-vous faire vos devoirs aujourd'hui?

6. Pouvez-vous jouer du piano?

7. Voulez-vous voyager en France?

8. Pouvez-vous bien chanter?

9. Devez-vous bientôt aller chez le dentiste?

10. Est-ce que vos amis peuvent parler espagnol?

11. Voulez-vous aller au cinéma ce soir?

12. Devez-vous travailler ou êtes-vous riche?

13. Voulez-vous manger dans un bon restaurant français?

Exercice 71

Il faut

<u>Your friend has problems. Give him some advice using the expression "il faut".</u>

<u>Model</u>:   J'ai froid.
                 Il faut porter un pull ou un manteau.

1. J'ai de mauvaises notes à l'université.

2. Je n'ai pas beaucoup d'argent.

3. Je veux manger une omelettte.

4. Je veux faire une promenade.

5. J'ai besoin de tomates.

6. Je suis très fatigué!

7. Je suis trop gros.

8. Je n'ai pas d'amis.

9. J'ai soif.

10. Je n'aime pas mon colocataire.

Exercice 72

Phrases à composer

<u>Write complete and correct sentences out of the following elements. Don't forget to conjugate the verbs and make any necessary changes to obtain a grammatically sound sentence.</u>

1. pouvoir / nous / manger / restaurant / ce / midi?

2. non, aller (impératif) / faire / courses!

3. où / vouloir / tu / aller?

4. je / vouloir / acheter / pain / dans / ce / petit / boulangerie / à côté / boucherie

5. devoir / tu / aller / banque?

6. non, je / avoir / assez / argent

7. que / aller / nous / manger?

8. gâteaux / et / tarte!

9. quel / bon / idée! je / ne....pas / vouloir / viande / et / légumes!

Exercice 73

Dormir, sortir, partir, sentir, servir

Conjugate the verbs in parentheses in the present tense.

1. Nous _____ (dormir) tard le matin.

2. Vous _____ (sortir) avec vos amis.

3. Elle _____ (sentir) les fleurs du jardin.

4. Ils _____ (servir) le dîner à 20 heures.

5. Je _____ (partir) en vacances demain.

6. Elles _____ (sortir) au cinéma.

7. Ces biscuits _____ (sentir) bon.

8. Je ne _____ (dormir) pas beaucoup.

9. Est-ce que vous _____ (servir) encore le petit-déjeuner?

10. Nous _____ (partir) faire du ski.

11. Est-ce qu'ils _____ (dormir) encore?

12. Tu _____ (sentir) la cigarette!

13. La serveuse _____ (servir) les clients.

14. Vous _____ (partir) bientôt?

15. Il _____ (sortir) un chewing gum de son sac.

16. A quoi est-ce que cet objet _____ (servir)?

17. Quand est-ce que tu _____ (partir)?

18. Où est-ce que vous _____ (sortir)?

19. Marie _____ (partir) au Maroc lundi.

20. Est-ce que tu vas _____ (sortir) ce soir?

Exercice 74

Venir, devenir, revenir

Conjugate the verbs in parentheses in the present tense.

1. _____ (venir) - tu à notre soirée?

2. Nous _____ (venir) de rentrer.

3. Qu'est-ce que Marc _____ (devenir)?

4. Ces chiens _____ (devenir) méchants.

5. Quand est-ce qu'il _____ (revenir) de Paris?

6. Nous _____ (revenir) juste de vacances.

7. Ils _____ (venir) de Marseille.

8. Je _____ (venir) de manger.

9. Nous _____ (devenir) experts en français!

10. Marie et Jeanne _____ (revenir) du marché.

11. Et toi? que _____ (venir) - tu de faire?

Exercice 75

Verbes divers

I.Conjugate the following verbs:

1. dormir (vous)
2. sortir (tu)
4. partir (je)
5. servir (il)
7. venir (elles)
8. sentir (nous)
9. revenir (vous)
10. devenir (tu)

II. Complete the following paragraph with the verb in parentheses.

1.   - _____ (sortir) - vous souvent le samedi soir?
    - Oui, je _____ (sortir) avec mes amis.

2.   Mon frère _____ (dormir) très tard le matin mais mes parents
    _____ (ne...pas dormir) très tard.

3.   Mon cousin Paul _____ (venir) de se marier. Sa femme et lui
    _____ (partir) demain en voyage de noces.

4.   Mes parents _____ (revenir) de vacances demain et moi, je
    _____ (partir) en vacances dans 3 jours.

5.   Nous _____ (servir) le petit-déjeuner entre 6 et 9 heures.

6.   Elle _____ (sortir) de sa maison très vite.

7.   - Que _____ (devenir) ton amie Stéphanie?
    - Oh, elle va bien. Elle _____ (sortir) avec Marc depuis 3 mois. Ils
    vont _____ (partir) en vacances en Espagne.

8.   - _____ (venir) - tu à ma soirée ce soir?
    - Non, je ne peux pas _____ (venir)

    9. Ces fleurs _____ (sentir) bon!

10.   Je suis très fatiguée. Je vais _____ (dormir).

Exercice 76

Verbes divers (suite)

Complete the following text choosing verbs from this list:

venir de / partir / venir / sortir / revenir / dormir

Deux amis au café:

Paul: - Veux-tu prendre un café avec moi?

Virginie: - Non merci, je _____ prendre une bière avec Thierry. Je dois
               _____.

(Virginie _____ du café. Elle rencontre son amie Sophie)

Sophie: _ Oh! Bonjour Virginie! ça va? Est-ce que tu _____ à ma soirée
               samedi soir?

Virginie: _ Merci, c'est gentil mais je dois aller chercher Henri à l'aéroport. Il
               _____ du Maroc.

Sophie: - Bon. Tant pis! Tu as l'air fatigué. _____ - tu bien la nuit?

Virginie: - Pas très bien, non. Je travaille beaucoup! Bon, à bientôt.

Exercice 77

Le passé composé avec avoir

Rewrite the following sentences in the passé composé.

Model: Je fais mes devoirs.
              J'ai fait mes devoirs.

1. Nous mangeons un gâteau.

2. Vous choisissez des fraises.

3. Elle vend sa voiture.

4. Il boit un café.

5. J'ai de la chance.

6. Nous prenons un taxi.

7. Elles disent de se taire.

8. Il ne pleut pas.

9. Tu reçois un chèque.

10. Nous écrivons une lettre.

11. Elle n'obtient pas de bonnes notes.

12. Ils doivent travailler.

13. Tu veux partir en Italie.

Exercice 78

Le passé composé avec avoir (suite)

<u>Rewrite the following sentences in the passé composé.</u>

1. Je fais une promenade.

2. Nous avons un chien.

3. Tu bois un café.

4. Elle achète une robe.

5. Vous perdez la mémoire.

6. J'écris une lettre.

7. Ils mettent leurs chaussures.

8. Tu obtiens une bonne note.

9. Il choisit un livre.

10. Nous prenons le bus.

11. Elles sont belles.

12. Vous écrivez des cartes postales.

13. Elle doit travailler.

14. Je reçois un diplôme.

15. Tu dis une bêtise.

16. Il pleut.

17. Nous comprenons la leçon.

18. Vous voulez danser.

19. Elles apprennent l'alphabet.

20. Je finis l'exercice.

Exercice 79

Le passé composé avec être

<u>Rewrite the following sentences in the passé composé.</u>

<u>Model:</u>   Je vais au café.
           Je suis allé(e) au café.

1. Nous partons en vacances.

2. Elle arrive à 3 heures.

3. Ils viennent dîner chez nous.

4. Elles restent bavarder avec eux.

5. Tu montes dans la voiture.

6. Il descend du bus.

7. Marie devient célèbre.

8. J'entre dans la maison.

9. Madame Azer meurt.

10. Stéphanie et Victor naissent à Paris.

11. Elles rentrent tard du cinéma.

12. Nous sortons au théâtre.

13. Michel tombe de son vélo.

Exercice 80

Le passé composé avec avoir et être

Compose sentences out of the following elements and conjugate the verbs in the passé composé. You will have to decide which auxiliary to use and whether you need to make an agreement with the subject.

Model: je / faire / devoirs
             J'ai fait mes devoirs.

1.   elle / comprendre / leçon

2.   nous / arriver / salle de classe

3.   Michèle / skier / et / elle / tomber

4.   Robert / écrire / lettre / grand-mère

5.   je / partir / vacances / avec / amis

6.   elle / vouloir / dormir / après-midi

7.   ils / aller / bibliothèque / chercher / livres

8.   tu / manger / restaurant / italien

9.   nous / boire / beaucoup / café

10.   elles / revenir / vacances / semaine / dernier

11.   ce / enfant / naître / il y a / 6 / jour

12.   Français / gagner / Coupe du Monde 98

Exercice 81

Passé composé (suite)

Rewrite the following paragraph in the passé composé.

Aujourd'hui, mes grand-parents viennent nous rendre visite. Ils arrivent à 11 heures et nous mangeons à 12 heures.
Nous finissons de manger et mon grand-père fait la sieste. Ma grand-mère et moi jouons aux cartes. Mes parents lisent un magazine et mon petit frère fait des légos.
A 14 heures, nous faisons une promenade, mais il commence à pleuvoir.
Nous voulons rentrer rapidement à la maison mais ma grand-mère tombe!
Mon père aide ma grand-mère et nous retournons chez nous.
Nous restons à la maison le reste de la journée.
Mes grands-parents repartent après le dîner.

Exercice 82

Interview

<u>Answer the following questions using the passé composé in your answers. Answer in full sentences (not just saying oui or non).</u>

1. Avez-vous fait la lessive hier soir?

2. Avez-vous fini vos études?

3. Qu'est-ce que vous avez mangé hier midi?

4. Qu'est-ce que vous avez bu ce matin?

5. Etes-vous allé(e) au cinéma cette semaine?

6. Où êtes-vous né(e)?

7. Avez-vous travaillé le week-end dernier?

8. Avez-vous pris votre voiture aujourd'hui?

9. Avez-vous écrit une lettre cette semaine?

10. Quel livre avez-vous lu récemment?

11. Est-ce qu'il a plu hier?

12. Avez-vous compris le passé composé?

13. A quelle heure êtes-vous rentré(e) chez vous hier?

Exercice 83

Phrases à composer

<u>Write complete and correct sentences out of the following elements. Conjugate the verbs in the present tense unless otherwise indicated. PC = passé composé.</u>

1. Les Durand / faire (PC) / grand / voyage / année / dernier

2. D'abord / ils / aller (PC) / Allemagne / train

3. Ensuite / ils / prendre (PC) / avion / pour / aller / Japon

4. Ils / aller (PC) / Tokyo / et / Osaka

5. Puis / ils / partir (PC) / Tokyo / pour aller / Chine

6. Enfin / ils / visiter (PC) / Etats-Unis

7. ils / rester (PC) / trois / semaine / Los Angeles

8. Madame Durand / venir (PC) / Seattle / pendant / deux / jour

9. elle / acheter (PC) / beaucoup / vêtements

10. les Durand / voir (PC) / beaucoup / pays / pendant / leur / vacances

Exercice 84

Prépositions et lieux

Complete the following sentences with the correct prepositions if needed.

1. Cette année, je vais aller _____ Brésil et _____ Australie.

2. Mon amie est allée _____ Japon il y a 2 ans. Elle est restée _____ Tokyo trois jours puis elle est descendue _____ Osaka.

3. Marie et Jean parlent français. Marie vient _____ France mais Jean vient _____ Canada.

4. Nous allons voyager _____ Kenya cet été.

5. Sophie a visité _____ Afrique du Nord. Elle est allée _____ Maroc et _____ Tunisie.

6. Etes-vous déjà allé _____ Italie?

7. Nous sommes allés _____ Venise et _____ Rome.

8. Je vais prendre le train _____ Paris _____ Lyon.

9. Nous avons passé de bonnes vacances _____ Hawaii.

10. Voudriez-vous habiter _____ Californie ou _____ Texas?

11. Stuttgart est _____ Allemagne et Londres est _____ Angleterre.

12. Les parents de Marc habitent _____ Toulouse.

13. Ils sont partis _____ Etats-Unis et _____ Mexique en vacances.

Exercice 85

Prépositions et lieux (suite)

Complete the following sentences with the correct prepositions:

1. _____ Hongrie, _____ Angleterre et _____ Belgique sont _____ Europe.

2. L'année dernière, je suis allée _____ Kenya et _____ Zaïre. Cette année, je vais aller _____ Côte d'Ivoire.

3.   - As-tu déjà visité _____ Canada?
      - Non, mais je suis allé _____ Etats-Unis.

4.   - Où sont tes parents?
      - Ils sont en vacances _____ Japon.
      - Quand reviennent-ils?
      - Ils reviennent _____ Japon demain.

5. Sarah vient _____ Louisiane et Mark vient _____ Texas.

6. J'ai plusieurs amis _____ Italie. Je vais aller leur rendre visite la semaine prochaine et passer un mois _____ Rome. Je vais revenir _____ Italie le 9 août.

7.   - As-tu visité _____ Mexique?
      - Oui. J'ai aussi vu _____ Pérou et _____ Colombie.

8. L'été dernier, j'ai passé 3 semaines _____ Cuba.

9. L'année prochaine, je vais aller _____ Chine.

10. Sophie passe ses vacances _____ Bahamas.

Exercice 86

Conduire, construire, détruire, traduire

<u>Conjugate the following verbs correctly. P = présent and PC = passé composé.</u>

1. Nous _____ (construire, P) une nouvelle maison.

2. Ils _____ (détruire, P) les forêts.

3. Vous _____ (conduire, PC) jusqu'à Marseille.

4. Elle _____ (traduire, PC) ce livre en français.

5. Est-ce que tu _____ (conduire, P)?

6. Les Français _____ (conduire, P) trop vite.

7. Godzilla _____ (détruire, P) tout sur son passage.

8. Je _____ (construire, PC) une tour avec mes légos.

9. Qui _____ (détruire, PC) ma construction de légos?...

10. Est-ce que vous _____ (traduire, P) pour vos parents?

11. Ils _____ (construire, PC) cet immeuble l'année dernière.

12. Le chien _____ (détruire, P) les fleurs du jardin.

Exercice 87

Depuis, pendant, il y a

Complete the following sentences using pendant, il y a or depuis.

1. _____ quand habites-tu à Seattle?

2. J'habite à Seattle _____ trois mois.

3. Nous avons visité le musée du Louvre _____ 5 ans.

4. Quand nous sommes allés au Louvre, nous avons admiré les tableaux de Renoir _____ une heure.

5. Je ne bois plus de café _____ 2 mois.

6. Il pratique son piano tous les jours _____ 30 minutes.

7. Ma grand-mère est morte _____ 5 ans.

8. Nous étudions le français _____ 10 semaines.

9. Michèle est arrivée à New York _____ une semaine.

10. Le soir, Marc lit _____ 2 heures avant de dormir.

11. Je suis fatiguée! J'attends le bus _____ 20 minutes!

12. Ils ont voyagé en France _____ 3 semaines.

13. Il fait du ski _____ l'âge de 3 ans!

Exercice 88

Depuis, pendant, il y a (suite)

I.   Complete the following sentences with depuis, pendant or il y a.

1. Dans le Sud de la France, il fait toujours très chaud _____ l'été, et il ne fait pas très froid _____ l'hiver.

2. Le matin, j'attends quelquefois le bus _____ 30 minutes.

3. Les Dupont passent leurs vacances d'hiver à la montagne _____ 15 ans.

4. Ils ont visité Londres _____ 20 ans, et ils n'y sont jamais retournés.

5. Ils habitent à Marseille _____ 7 mois.

6. Ils ont habité à Paris _____ 3 ans.

7. Je prends des cours de français _____ 1 an.

8. Ma fille est née _____ 1 an.

9. Parfois, je discute au téléphone avec mon amie _____ 30 minutes ou 1 heure.

10. Je ne bois plus de vin _____ 1 mois et j'ai arrêté de fumer _____ 3 ans.

II. Ask your partner the following questions:

1. Depuis combien de temps étudies-tu le français?
2. Depuis quand es-tu étudiant à l'université?
3. Pendant combien de temps parles-tu au téléphone chaque jour?
4. Pendant combien de temps étudies-tu le français chaque jour?
5. Combien d'heures dors-tu chaque nuit?
6. Depuis quand habites-tu à Seattle?

Exercice 89

Phrases à composer

<u>Write complete and correct sentences out of the following elements. Conjugate the
verbs in the present tense unless otherwise indicated. PC = passé composé.</u>

1. nous / venir / passer / vacances / France

2. nous / visiter (PC) / Paris, puis, nous / prendre (PC) / train / et / descendre (PC) /
Sud

3. nous / faire (PC) / bicyclette / et / camping / dans / forêt

4. manger (PC) / vous / bien?

5. Oui! nous / manger (PC) / croissants / et / bon / pain / français

6. nous / aller (PC) / aussi / montagne / pour / faire / ski

7. Thomas / perdre (PC) / son / papiers / et / il / devoir (PC) / retourner / New York

8. je / écrire (PC) / cartes postales / mes amis

9. nous / aller (PC) / plage / et / nous / faire (PC) / planche à voile

10. et vous? quand / vouloir / vous / visiter / France?

Exercice 90

Structures positives et négatives

<u>Contradict the following statements.</u>

<u>Model:</u>   Quelqu'un est arrivé.
                  Personne n'est arrivé.

1. Je mange quelque chose.

2. J'écris souvent des lettres.

3. Marie téléphone à quelqu'un

4. Nous écoutons toujours la radio.

5. Ils étudient encore l'algèbre.

6. Vous avez déjà visité la Belgique.

7. Tu connais quelqu'un de sympathique dans cette compagnie.

8. Tout le monde est arrivé.

9. Quelque chose s'est passé.

10. Tout est bon sur ce menu.

11. Je vais au cinéma avec quelqu'un.

12. Tu as encore tes livres de l'école primaire.

13. Il arrive parfois en retard.

Exercice 91

Structures positives et négatives (suite)

Answer the following questions in a negative way.

1. Est-ce que vous allez souvent au restaurant russe?

2. Parlez-vous parfois espagnol avec vos parents?

3. Habitez-vous encore chez vos parents?

4. Aimez-vous dîner avec quelqu'un?

5. Buvez-vous quelque chose pendant le cours de français?

6. Fumez-vous parfois?

7. Prenez-vous souvent le train?

8. Est-ce que vous connaissez tout le monde dans la salle de classe?

9. Est-ce que tout est intéressant à la télévision?

10. Est-ce que vous écrivez souvent des poèmes?

11. Etes-vous déjà allé(e) en Sibérie?

12. Est-ce que vous avez téléphoné à quelqu'un ce matin?

13. Est-ce que vous avez mangé quelque chose de bon hier soir?

14. Allez-vous encore étudier aujourd'hui?

Exercice 92

Ne ... que

Rewrite the following statements using the expression ne...que.

Model: J'ai seulement 3 dollars.
            Je n'ai que 3 dollars.

1. Nous avons seulement du pain et du fromage.

2. J'ai seulement un frère.

3. Elle a seulement 2 amis.

4. Elle gagne seulement 100 dollars par mois.

5. Nous sommes restés seulement une heure à la fête.

6. Il y a seulement un coca dans le frigo.

7. Il boit seulement du café.

8. Vous avez acheté seulement des tomates.

9. Elle a lu seulement un livre ce mois-ci.

10. Nous portons seulement un maillot de bain à la plage.

Exercice 93

Structures positives et négatives (suite)

<u>I.   Contradict the following statements.</u>

1. Je téléphone à quelqu'un.

2. Rien n'est bon au Hub.

3. Personne ne parle.

4. Tout le monde est arrivé.

5. Vous n'aimez personne.

6. Quelqu'un écoute le professeur.

7. Rien n'est intéressant ici.

8. Il y a quelque chose sur la table.

9. J'ai parlé à quelqu'un ce matin.

10. Tout le monde est sympathique ici.

<u>11. Ask your partner the following questions:</u>

1. Est-ce que tu écris parfois des lettres philosophiques à quelqu'un? des lettres humoristiques?

2. Est-ce que tu regardes parfois la télé à trois heures du matin? à trois heures de l'après-midi?

3. As-tu encore des livres de l'école primaire? du lycée?

4. Est-ce que tu connais quelqu'un de célèbre?

5. Est-ce que tu as déjà ta propre maison? ta propre voiture?

Exercice 94

Structures positives et négatives (suite)

I.   Answer the following questions in the negative:

1. Pierre fume-t-il encore?

2. Regardes-tu toujours ER à la télé?

3. Est-ce que quelque chose est arrivé?

4. Avons-nous déjà fini le livre?

5. Habitent-ils encore à Seattle?

6. Est-ce que tout va bien?

7. As-tu rencontré quelqu'un?

8. Est-elle déjà partie pour l'Espagne?

9. Est-ce que quelqu'un a téléphoné hier soir?

II. Transform the following sentences using the expression "ne que"

1. J'ai seulement trois amis.

2. Elle a acheté seulement deux livres.

3. Nous sommes restés seulement dix minutes.

4. Il y a seulement un oeuf dans le frigo.

5. Tu as vu seulement deux films l'année dernière.

Exercice 95

Phrases à composer

Write complete and correct sentences out of the following elements. Conjugate the verbs in the present tense unless otherwise indicated. PC = passé composé.

1. hier / nous / avoir (PC) / beaucoup / problèmes

2. nous / louer (PC) / voiture / mais / nous / avoir (PC) / accident

3. nous / prendre (PC) / avion / mais / il / arriver (PC) / retard

4. nous / prendre (PC) / train / mais / il / tomber (PC) en panne

5. nous / aller (PC) / restaurant / mais / nous / manger (PC) / mal

6. je / vouloir (PC) / lire / mais / je / avoir (PC) / mal à la tête

7. nous / rentrer (PC) / maison / mais / nous / dormir (PC) / mal

8. rien / aller (PC) / bien / hier!!

Exercice 96

Dire, lire, écrire, mettre

Conjugate the following verbs in the present tense unless otherwise indicated.

1. Qu'est-ce que vous _____ (mettre) dans la boîte aux lettres?

2. Je _____ (mettre) une lettre et deux cartes postales.

3. Qu'est-ce qu'elles _____ (dire)?

4. Tu _____ (dire, PC) la vérité.

5. Nous _____ (lire) le journal le matin.

6. Est-ce que tu _____ (lire, PC) ce livre?

7. Vous _____ (dire) à vos amis de partir.

8. J' _____ (écrire) un roman.

9. Est-ce que vous _____ (écrire) souvent des lettres?

10. Nous _____ (mettre) la table.

11. Il ne _____ (lire) pas beaucoup!

12. Ils _____ (écrire) des poèmes.

13. Est-ce que tu _____ (écrire, PC) à ton père?

14. Je _____ (lire) une revue intéressante.

15. Je _____ (dire) que je ne comprends pas.

16. Qu'est-ce que tu _____ (mettre) pour aller te promener?

17. Est-ce qu'elle _____ (mettre, PC) ma lettre dans la boîte?

18. Qu'est-ce que tu _____ (lire) en ce moment?

19. Nous n' _____ (écrire) pas de cartes postales en vacances.

20. Nous _____ (dire) des blagues.

Exercice 97

Interview

Answer the following questions:

1. Qu'est-ce que vous lisez en ce moment?

2. Est-ce que vous écrivez parfois des poèmes?

3. Est-ce que vos parents lisent le journal?

4. Aimez-vous écrire des lettres?

5. Dites-vous toujours la vérité?

6. Avez-vous déjà lu un roman français?

7. Ecrivez-vous des cartes postales à vos amis quand vous partez en vacances?

8. Mettez-vous souvent un chapeau?

9. Avez-vous mis un pantalon ou une jupe ce matin?

Exercice 98

L'imparfait

<u>Rewrite the following sentences using the imparfait.</u>

Model: Je suis à la maison.
                J'étais à la maison.

1. Nous partons au cinéma.

2. Elle fait la lessive.

3. Ils ne prennent pas leur voiture.

4. Vous allez à la plage.

5. Je regarde la télévision.

6. Tu as sommeil.

7. Il mange un croissant.

8. Elles commencent un nouveau livre.

9. Nous écrivons des lettres.

10. Il ne pleut pas.

11. Je comprends la leçon.

12. Vous descendez de la voiture.

Exercice 99

L'imparfait (suite)

<u>Rewrite the following stories in the imparfait.</u>

1. Nous sommes à la maison. Le chat dort et les enfants jouent calmement dans leurs chambres. Je lis un magazine. Il y a un feu dans la cheminée. Dehors, il fait froid et il neige. J'écoute une symphonie de Beethoven à la radio et je réfléchis à ce que je vais faire pour le dîner...

2. Marie est étudiante à l'université. Elle a beaucoup d'amis et ils sortent souvent ensemble. Elle fait beaucoup de sport et elle va souvent au cinéma avec ses amis. Elle aime manger au restaurant chinois et elle boit beaucoup de thé.
Elle rend visite à ses parents tous les week-ends et ils discutent longtemps.

ATTENTION!

<u>Quelques verbes "problématiques" à l'imparfait:</u>

MANGER (Présent: je mange, tu manges, il mange, nous mang**eons**, vous mangez, ils mangent)

je mangeais

tu mangeais 。

il mangeait

nous mangions

vous mangiez

ils mangeaient

COMMENCER (Présent: je commence, tu commences, il commence, nous commen**çons**, vous commencez, ils commencent)

je commençais

tu commençais

il commençait

nous commencions

vous commenciez

ils commençaient

ETUDIER (Présent: j'étudie, tu étudies, il étudie, nous étudions, vous étudiez, ils étudient)

j'étudiais

tu étudiais

il étudiait

nous étudiions

vous étudiiez

ils étudiaient

Exercice 100

L'imparfait (suite)

<u>Rewrite the following sentences using the imparfait.</u>

1. Je fais le ménage.

2. Nous prenons le bus.

3. Paul écoute la radio.

4. Vous comprenez la leçon.

5. Elle va au restaurant.

6. Tu lis un roman.

7. Ils écrivent une lettre.

8. Nous mangeons un gâteau.

9. J'attends le train.

10. Nous sommes fatigués.

11. Il pleut.

12. Vous choisissez des cours.

13. Elle voit son ami.

14. Tu commences un nouveau livre.

15. Nous faisons une promenade.

16. Ils ont l'air gentil.

17. Vous étudiez la chimie.

18. Je vends des glaces.

19. Nous jouons au football.

20. Tu finis tes devoirs.

Pronoms d'objet direct: Présentation

Est-ce que tu lis le journal?
Oui, je le lis.

Est-ce que tu regardes la télé?
Oui, je la regarde.

Est-ce que tu regardes les nouvelles?
Oui, je les regarde.

Est-ce que tu écoutes la radio?
Oui, je l'écoute.

Est-ce que tu me regardes?
Oui, je te regarde.

Est-ce que vous nous regardez?
Oui nous vous regardons.

PASSE COMPOSE
As-tu lu le journal?
Oui, je l'ai lu.

INFINITIF
je vais manger la tarte.
je vais la manger.

NEGATIF
Je ne regarde pas la télé
Je ne la regarde pas

Je ne vais pas manger la tarte
Je ne vais pas la manger

Je n'ai pas lu le journal
Je ne l'ai pas lu

Exercice 101

Les pronoms d'objet direct

Replace the underlined words in the sentences below with direct object pronouns. Watch out for agreements in the passé composé!

Model: Je lis le journal le matin.
                   Je le lis le matin.

1. Nous regardons la télé.

2. Vous n'aimez pas les motos.

3. Elles vont prendre le bus.

4. Il ne va pas écouter la radio.

5. Ils ont visité le musée.

6. Tu manges les fraises qui étaient dans le frigo.

7. Je n'ai pas bu mon café au lait.

8. Il va préparer la tarte.

9. Elle va lire cette lettre demain.

10. Tu ne vas pas mettre cette cravate.

11. Avez-vous acheté ce livre à Paris?

Pronoms d'objet direct et accord au passé composé: Présentation

J'ai lu <u>le journal.</u>
Je l'ai lu.

J'ai lu <u>la revue.</u>
Je l'ai lu<u>e</u>.

J'ai lu <u>les journaux.</u>
Je <u>les</u> ai lu<u>s</u>.

J'ai lu <u>les revues.</u>
Je <u>les</u> ai lu<u>es</u>.

Exercice d'application: Répondez aux questions suivantes en employant un pronom. Attention aux accords.

1. Est-ce que vous avez regardé <u>la télé</u> hier soir?

2. Marie, a-t-elle posté <u>mes lettres</u>?

3. As-tu acheté <u>le journal</u>?

4. Est-ce que tu as mangé <u>les fraises de mon jardin</u>?

5. Avez-vous écouté <u>la chanson</u>?

Exercice 102

Les pronoms d'objet direct (suite)

I. Replace the underlined words with direct object pronouns (le, la, les):

1. Quand j'étais petite, j'avais un chien. Je promenais mon chien tous les jours.

2. Je regardais la télé le mercredi après-midi.

3. Aujourd'hui, je ne regarde plus la télé pendant la journée.

4. Je vais manger ces gâteaux.

5. Je ne vais pas manger ces fruits.

6. Il a lu le journal.

7.   - As-tu aimé cette émission à la télé?
       - Oui, j'ai aimé cette émission.
       - Non, je n'ai pas aimé cette émission.

8.   - Vois-tu souvent tes parents?
       - Oui, je vois mes parents tous les week-ends.

9.   - As-tu déjà perdu tes clés?
       - Oui, j'ai perdu mes clés la semaine dernière.

10.   - Avez-vous posté les lettres?
       - Non, je n'ai pas posté les lettres.

11.   - Allons-nous acheter ces gants?
       - Oui, nous allons acheter ces gants.

II. Now, answer the following questions using direct object pronouns:

1. Regardez-vous la télé?

2. Ecoutez- vous la radio?

3. Aimez-vous les haricots verts?

4. Avez-vous lu le journal ce matin?

5. Voyez-vous souvent vos grands-parents?

6. Avez-vous vu vos amis hier soir?

7. Avez-vous fait vos devoirs hier soir?

8. Quand vous étiez petit, aimiez-vous regarder la télé?

9. Allez-vous porter ce pantalon demain?

10. Avez-vous envie de lire le journal?

Exercice 103

Voir et croire

Conjugate the verbs voir and croire in the tenses indicated.
P = présent; PC = passé composé; IMP = imparfait.

1. Antoine _____ (croire, P) aux fantômes.

2. Elle _____ (croire, PC) ce que tu lui as dit.

3. Est-ce que vous _____ (voir, P) bien avec ces lunettes?

4. Ils _____ (ne...pas voir, PC) ce film.

5. Est-ce que tu _____ (croire, P) qu'elle va venir?

6. Nous ne _____ (croire, P) plus au Père Noël.

7. J' _____ (voir, PC) mes amis hier soir.

8. Quand elle était petite, elle _____ (croire, IMP) tout ce qu'on lui disait.

9. Est-ce que tu _____ (voir, P) encore Sylvie?

10. Est-ce qu'elles _____ (croire, PC) son histoire?

11. Quand tu étais jeune, tu _____ (voir, IMP) souvent ton père.

12. Ils ne _____ (voir, P) pas bien où ils sont.

Exercice 104

Voir et croire (suite)

I. Conjugate the verbs voir and croire in the tenses indicated.

1. Pierre _____ (croire, P) aux vampires.
1. Je _____ (voir, P) mes parents tous les week-ends.
1. Nous _____ (revoir, PC) ce film cet été.
1. Renée _____ (croire, PC) notre histoire.
1. Vous _____ (croire, P) au Père Noël.
1. Nicole et André _____ (voir, P) leurs amis.
1. Tu _____ (voir, PC) beaucoup de films.

II. Answer the following questions with complete sentences.

1. Croyez-vous aux fantômes (ghosts)?

1. Voyez-vous souvent des films d'horreur?

1. Avez-vous déjà vu le Louvre?

1. Croyez-vous qu'il va pleuvoir ce soir?

1. Croyez-vous qu'il y a de la vie (life) sur Mars?

1. Voyez-vous souvent vos parents?

Exercice 105

L'imparfait et le passé composé

8   Les habitudes de Tonton Pierre.   Hélène et Richard talk about uncle Pierre and his habits when he visited. Use the **Imparfait.**

Il _____ (prendre) toujours la même chose pour le petit déjeuner - des croissants avec de la confiture de framboises. Il _____ (sortir) de la maison à neuf heures du matin et il _____ (aller) se promener au parc. S'il _____ (faire) froid, il _____(porter) un manteau. S'il _____ (pleuvoir) , il _____(prendre) son parapluie. Pendant qu'il _____(lire) le journal, il _____(fumer) sa pipe. Il _____(rentrer) à la maison vers une heure de l'après-midi et _____ (déjeuner) avec la famille. Après, il _____ (dormir) jusqu'à quatre heures de l'après-midi. Le soir, il _____(regarder) la télévision ou il _____ (aider) Nicolas, notre petit frère, à faire ses devoirs. Il _____(lire) jusqu'à dix heures et demie et après, il _____ (aller) dans sa chambre pour dormir.

B.   The story of an exceptional day for uncle Pierre. Use the **passé composé.**

Un jour, Tonton Pierre _____ (sortir) de la maison très tard. Il _____ (regarder) le ciel et il _____ (voir) beaucoup de nuages. Il _____ (retourner) chez nous et _____ (chercher) son parapluie. Il le _____ (trouver) derrière la porte. Il _____ (resortir) et il _____(marcher) vers le parc. Dans le parc, il ne _____ (trouver) aucun de ses amis. Il _____ (ne pas voir) d'oiseaux non plus. Tout d'un coup, il _____ (commencer) à pleuvoir. Tonton Pierre _____ (ouvrir) son parapluie et _____ (courir) vers la maison. Il _____ (passer) une heure à chercher la maison, mais il _____ (ne pas la trouver). A ce moment-là, il _____ (reconnaître) qu'il rêvait. Il était toujours au lit.

Exercice 106

L'imparfait et le passé composé (suite)

Complete the following story with the imparfait and the passé composé.

Quand Jacqueline _____ (être) petite, elle _____
(habiter) à Toulouse. Ses parents _____ (travailler) ensemble: ils
_____ (avoir) une boulangerie.

Son père _____ (devoir) se lever très tôt pour préparer le pain et les
croissants du matin. Sa mère _____ (tenir) la caisse.

Jacqueline et ses deux frères _____ (aimer) passer du temps dans la
boulangerie parce qu'ils _____ (pouvoir) manger beaucoup de
gâteaux et de bonbons.

D'habitude, la boulangerie _____ (fermer) au mois d'août et toute la
petite famille _____ (partir) en vacances. Mais en 1978, les parents
de Jacqueline _____ (décider) de travailler tout l'été et de partir en
vacances en hiver à la place. Ils _____ (vouloir) faire du ski.

Jacqueline et ses frères _____ (aller) passer l'été à la campagne chez
leurs grands-parents. Ils _____ (jouer) avec les lapins et les cochons
et _____ (passer) un bon été.

Quand ils _____ (revenir) à Toulouse, ils _____ (être) en
excellente santé.

Au mois de décembre, les vacances de Noël _____ (arriver) et ils
_____ (partir) dans les Alpes. Ils _____ (faire) du ski et les
enfants _____ (apprendre) à faire du snowboard.

Malheureusement, le père de Jacqueline _____ (tomber) et il s'est
cassé le bras!

Le soir de Noël, il _____ (neiger) et la nature _____
(être) superbe, toute couverte de blanc.

Jacqueline _____ (adorer) ces vacances!

Exercice 107

L'imparfait et le passé composé (suite)

Complete the following story with the imparfait and the passé composé.

L'été dernier, mon amie Monique et moi _____ (voyager) en Autriche.
C'est un pays superbe. Nous _____ (rencontrer) des gens très
sympathiques.
L'un d'eux _____ (être) Markus.
Nous _____ (devenir) amis très vite et _____ (passer)
beaucoup de temps ensemble.
Monique _____ (tomber) amoureuse de Markus et elle
_____ (être) malheureuse de devoir rentrer à Paris sans lui!
Donc, elle _____ (inviter) Markus à lui rendre visite pour les vacances
de Noël. Markus _____ (accepter) l'invitation. En fait, il
_____ (être) aussi amoureux de Monique mais je ne le
_____ (savoir) pas!
A Noël, je _____ (partir) en vacances chez mes parents, et quand je
_____ (rentrer), Monique m' _____ (annoncer) qu'elle et
Markus _____ (aller) se marier l'été suivant.
J'_____ (être) un peu inquiet parce qu'ils ne se _____
(connaître) pas depuis très longtemps, mais j' _____ (être) heureux
pour Monique.
Cet été, Monique _____ (partir) en Autriche pour le mariage mais je
_____ (ne...pas pouvoir) y aller parce que je _____
(devoir) travailler.
Mes amis Jacques et Marie y _____ (aller) et m' _____
(dire) que le mariage _____ (être) très réussi.
Ils _____ (prendre) des photos et ils me les _____
(montrer). Monique _____ (être) superbe dans sa robe de mariée et
Markus _____ (avoir) l'air très heureux.

Exercice 108

L'imparfait et le passé composé (suite)

Rewrite the following story in the past, using the imparfait and the passé composé.

Ce soir, je suis à la maison. J'écoute de la musique et je lis mon livre.

Je suis fatiguée et je décide d'aller me coucher.

Mais tout à coup, le téléphone sonne.

Ce sont mes amis Charles et Sylvie qui sont près de chez moi. Ils veulent venir me dire bonjour.

Je ne suis pas très enthousiaste parce que je suis fatiguée, mais j'accepte. Ils arrivent 30 minutes plus tard.

Ils apportent une bouteille de champagne. Je leur demande pourquoi….

Ils me disent: " Tu as oublié?"

C'est mon anniversaire!!

Nous célébrons ensemble mon anniversaire et je suis heureuse d'avoir des amis aussi gentils.

Nous discutons jusqu'à une heure du matin et ils repartent.

Pronoms d'objet indirect: Présentation

Objet direct ou indirect?

- Je regarde la télé.
- Je parle à ma mère.
- Je donne le cadeau à mon frère.
- Elle téléphone à sa mère.
- Elle montre le livre aux étudiants.

Pronoms d'objet indirect: Quelques exemples

Je téléphone à mon père.
Je lui téléphone.

Je téléphone à ma mère.
Je lui téléphone.

Je téléphone à mes parents.
Je leur téléphone.

Emplacement du pronom dans la phrase:

Vous leur parlez
Je lui ai parlé
Je vais lui parler
Je ne leur téléphone pas
Je ne leur ai pas téléphoné
Nous n'allons pas leur parler

NB: Il n'y pas d'accord au participe passé pour les pronoms indirects.

Exercice 109

Les pronoms d'objet indirect

Replace the underlined words in the sentences below with indirect object pronouns.

Model: J'écris à ma tante.
            Je lui écris.

1. Nous téléphonons à nos parents.

2. Elle rend visite à ses amis.

3. Vous parliez à votre professeur.

4. Il a donné ce livre à Monique.

5. Ils vont emprunter cette voiture à Maurice.

6. J'ai prêté mon magnétoscope à Michel.

7. Est-ce que tu as envoyé un cadeau à ton neveu?

8. As-tu offert des fleurs à ta mère?

9. Est-ce qu'elle a demandé à son père s'il pouvait l'accompagner?

10. J'ai montré mes photos à mes amies.

11. Ils ont rendu ces disques à Thomas.

Exercice 110

Pronoms (suite)

Answer the following questions replacing the underlined words with pronouns, direct or indirect.

1   As-tu téléphoné <u>à ta mère</u>?
       Oui, ...

2   As-tu fait <u>les courses</u>?
       Oui, ...

3   As-tu regardé <u>la télé</u> hier soir?
       Non,

4   Est-ce que tu as lu <u>les journaux</u> ce matin?
       Oui,

5   Est-ce que tu vas acheter <u>cette robe</u>?
       Non,

6   Est-ce que tu as écrit <u>à tes grands-parents</u>?
       Oui,

7   Allons-nous envoyer cette lettre <u>à notre mère</u>?
       Non,

8   Vont-ils visiter <u>le musée</u> aujourd'hui?
       Oui,

9   As-tu promené <u>ton chien</u> hier?
       Oui,

10   Ecoutes-tu souvent <u>la radio</u>?
       Non,

Exercice 111

Pronoms (suite)

<u>Answer the following questions using direct and indirect object pronouns.</u>

<u>Model:</u>   Aimes-tu les fleurs?
               Oui, je les aime.

1. Avez-vous fait la lessive aujourd'hui?

2. Avez-vous téléphoné à vos parents ce matin?

3. Avez-vous écrit à votre amie récemment?

4. Aimez-vous parler à vos amis?

5. Avez-vous lu le journal ce matin?

6. Aimez-vous lire les journaux en général?

7. Avez-vous regardé la télé hier soir?

8. Avez-vous acheté vos chaussures hier?

9. Allez-vous donner un cadeau à votre ami(e) aujourd'hui?

10. Ecoutez-vous souvent la radio?

11. Aimez-vous les voitures de sport?

Exercice 112

Savoir and connaître

Complete the following sentences with savoir or connaître. Use the present or the passé composé depending on the meaning of the sentence.

1. Est-ce que tu _____ Sylvie?

2. _____ -vous parler russe?

3. Nous _____ compter en français!

4. Hier, je _____ que Thomas et Marie allaient divorcer.

5. Bertrand _____ bien jouer du piano!

6. Il _____ bien Paris! Il y habite.

7. Elles _____ le président de cette société.

8. Marc _____ Sonia en France l'été dernier.

9. Nous sommes fatigués, tu _____.

10. Est-ce que vous _____ où elle habite?

11. Non, je ne _____ pas.

12. Est-ce que tu _____ Casablanca?

Présentation: Y et EN

Y

Je vais **à Paris**	J'**y** vais
Je suis allé **au Kenya**	J'**y** suis allé
Je suis née **en France**	J'**y** suis née
Je vais manger **au restaurant**	Je vais **y** manger

Y remplace donc un lieu, un endroit. Il se place comme les autres pronoms.
Il fonctionne également avec certains verbes comme: répondre à, réfléchir à, réussir à, penser à, jouer à. Voici quelques exemples:

Il répond **à la lettre de sa grand-mère**	Il **y** répond
Elle a répondu **au téléphone**	Elle **y** a répondu
Je réfléchis **à un problème**	J'**y** réfléchis
Je vais réussir **à mon examen**	Je vais **y** réussir
Nous pensons **à nos cours**	Nous **y** pensons
Vous jouez **aux cartes**	Vous **y** jouez

ATTENTION: Y ne peut pas remplacer une personne. Par exemple:

Je réponds **à la lettre**	J'**y** réponds
<u>MAIS</u>: Je réponds **à ma mère**	Je **lui** réponds

EN

Je veux **de la soupe**	J'**en** veux
Je vais manger **du pain**	Je vais **en** manger
Il a mangé **des carottes**	Il **en** a mangé

EN remplace donc les compléments introduits par des articles partitifs. Il se place comme les autres pronoms. Il remplace aussi les autres articles indéfinis et les expressions de quantité:

J'ai **une voiture**	J'**en** ai **une**
Il mange **un croissant**	Il **en** mange **un**
Marie a **cinq enfants**	Elle **en** a **cinq**
Nous avons mangé **beaucoup de fraises**	Nous **en** avons mangé **beaucoup**
Il a bu **un peu de vin**	Il **en** a bu **un peu**
Je mange **trop de chocolat**	J'**en** mange **trop**

EN peut aussi fonctionner avec des verbes comme: parler de, avoir envie de, avoir besoin de,etc... Par exemple:

Je parle **de politique**	J'**en** parle

Y et EN peuvent être mis ensemble. Par exemple:

Il y a **du fromage sur la table**	Il **y en** a
Il y a **trois livres sur la table**	Il **y en** a trois

Exercice 113

Les pronoms y et en

A. Answer the following questions using the pronoun Y.

1. Est-ce que tu vas à l'université?

2. Est-ce que tu manges souvent au restaurant?

3. Est-ce que tu es allée au cinéma hier soir?

4. Est-ce que tu vas voyager au Canada cet été?

5. Est-ce que tu penses à l'examen final?

6. Est-ce que tu vas répondre à cette lettre?

B. Répondez aux questions en employant le pronom EN

1. Est-ce que tu veux de la soupe?

2. Est-ce que tu as mangé du poulet hier soir?

3. Est-ce que tu vas boire du café?

4. Est-ce que tu as une voiture?

5. As-tu des frères?

6. Manges-tu beaucoup de fruits?

7. Bois-tu un peu de vin?

8. Parles-tu de cinéma avec tes amis?

9. Est-ce que ta famille aime parler de politique?

10. As-tu envie d'une tasse de thé?

11. As-tu besoin de papier?

Exercice 114

Les pronoms y et en (suite)

Replace the underlined words by the pronouns y or en.

Model: Je mange au restaurant universitaire.
                  J'y mange.

1. Nous sommes allés au cinéma.

2. Je mange du fromage.

3. Nous pensons à nos examens.

4. Tu vas acheter des fraises.

5. Je ne vais pas aller à l'université aujourd'hui.

6. Nous parlons de ce film français.

7. Ils boivent beaucoup de bière.

8. Vas-tu répondre à cette lettre?

Exercice 115

Les pronoms y et en (suite)

1. Est-ce que vous partez à Paris?

2. Avez-vous déjà mangé des escargots?

3. Etes-vous déjà allé(e) à Tahiti?

4. Aimez-vous boire de la bière?

5. Est-ce qu'on fait du vin à Bordeaux?

6. Est-ce qu'on trouve beaucoup d'eau à Seattle?

7. Mangez-vous des crêpes le matin?

8. Venez-vous du Japon?

9. Réfléchissez-vous à vos problèmes?

10. Avez-vous besoin de votre livre de français?

11. Jouez-vous du piano?

12. Allez-vous au HUB après ce cours?

13. Pensez-vous souvent à l'environnement?

14. Avez-vous envie de danser à la discothèque?

15. Répondez-vous correctement à toutes les questions du professeur?

16. Est-ce que vos parents habitent au Canada?

17. Combien de voitures avez-vous?

18. Parlez-vous souvent de politique?

19. Est-ce que vous faites des achats ce week-end?

20. Avez-vous vu des soucoupes volantes (flying saucers)?

Exercice 116

Les pronoms y et en (suite)

<u>Answer the following questions using y and en.</u>

1. Mangez-vous assez de légumes et de fruits?

2. Buvez-vous beaucoup d'eau?

3. Avez-vous une voiture?

4. Allez-vous souvent à la bibliothèque?

5. Etez-vous déjà allé(e) à Hawaii?

6. Jouez-vous de la guitare?

7. Avez-vous besoin de nouvelles chaussures?

8. Allez-vous faire des courses ce week-end?

9. Pensez-vous souvent à vos études?

Summary of all object pronouns

Je regarde la télé	Je la regarde
Je ne regarde pas la télé	Je ne la regarde pas
Je vois mon père	Je le vois
Je ne vois pas mon père	Je ne le vois pas
J'aime les chiens	Je les aime
Je n'aime pas les chiens	Je ne les aime pas
J'ai regardé la télé	Je l'ai regardée
Je n'ai pas regardé la télé	Je ne l'ai pas regardée
J'ai vu mon père	Je ne l'ai pas vu
J'ai aimé les chiens	Je les ai aimés
Je vais regarder la télé	Je vais la regarder
Je ne vais pas regarder la télé	Je ne vais pas la regarder
Je vais voir mon père	Je ne vais pas le voir
Je parle à ma mère	Je lui parle
Je ne parle pas à ma mère	Je ne lui parle pas
Je réponds à mon frère	Je lui réponds
Je ne réponds pas à mon frère	Je ne lui réponds pas
Je téléphone à mes parents	Je leur téléphone
Je ne téléphone pas à mes parents	Je ne leur téléphone pas
J'ai parlé à ma mère	Je lui ai parlé
Je n'ai pas parlé à ma mère	Je ne lui ai pas parlé
J'ai répondu à mon frère	Je lui ai répondu
Je n'ai pas répondu à mon frère	Je ne lui ai pas répondu
J'ai téléphoné à mes parents	Je leur ai téléphoné
Je n'ai pas téléphoné à mes parents	Je ne leur ai pas téléphoné
Je vais parler à ma mère	Je vais lui parler
Je ne vais pas parler à ma mère	Je ne vais pas lui parler
Je vais à Seattle	J'y vais
Je ne vais pas à Seattle	Je n'y vais pas
Je suis allée à Seattle	J'y suis allée
Je ne suis pas allée à Seattle	Je n'y suis pas allée
Je vais habiter à Paris	Je vais y habiter
Je ne vais pas habiter à Paris	Je ne vais pas y habiter
Il répond à la lettre	Il y répond
Il ne répond pas à la lettre	Il n'y répond pas
Il a répondu à la lettre	Il y a répondu
Il n'a pas répondu à la lettre	Il n'y a pas répondu
Il va répondre à la lettre	Il va y répondre
Il ne va pas répondre à la lettre	Il ne va pas y répondre
Je mange de la soupe	J'en mange
Je ne mange pas de soupe	Je n'en mange pas
Je mange un peu de soupe	J'en mange un peu
Je ne mange pas beaucoup de soupe	Je n'en mange pas beaucoup
J'ai bu du café	J'en ai bu
Je n'ai pas bu de café	Je n'en ai pas bu
J'ai bu trois cafés	J'en ai bu trois
Je n'ai pas bu trois cafés	Je n'en ai pas bu trois
Je vais manger quatre sandwichs	Je vais en manger quatre
Je ne vais pas manger quatre sandwichs	Je ne vais pas en manger quatre
J'aime boire beaucoup de vin	J'aime en boire beaucoup
Je n'aime pas boire beaucoup de vin	Je n'aime pas en boire beaucoup

Exercice 117

Récapitulation des pronoms

Answer the following questions using pronouns. This time, any pronoun may be used!

1. Aimez-vous les fraises?

2. Buvez-vous beaucoup d'eau?

3. Allez-vous souvent au cinéma?

4. Achetez-vous parfois des fleurs?

5. Regardez-vous les informations à la télé?

6. Avez-vous une moto?

7. Téléphonez-vous souvent à vos amis?

8. Parlez-vous parfois à votre professeur de français?

9. Aimez-vous parler de politique?

10. Voulez-vous voyager en France?

11. Prenez-vous du sucre dans votre café?

12. Avez-vous déjà perdu vos clés?

13. Connaissez-vous la Marseillaise?

14. Avez-vous déjà voyagé en Europe?

Exercice 118

Récapitulation des pronoms (suite)

Répondez aux questions suivantes en employant des pronoms:

1. Aimez-vous les sculptures de Rodin?

2. Allez-vous répondre à ma lettre?

3. Avez-vous parlé à Simon hier?

4. Buvez-vous beaucoup de café?

5. Avez-vous déjà mangé des escargots?

6. Prenez-vous souvent du beurre sur votre pain?

7. Désirez-vous aller en Afrique?

8. Avez-vous déjà habité en France?

9. Téléphonez-vous souvent à vos grands-parents?

10. Parlez-vous parfois de politique avec vos amis?

11. Voyez-vous vos amis tous les jours?

12. Avez-vous trois voitures?

13. Avez-vous rencontrés mes parents?

14. Avez-vous donné des fleurs à votre mère récemment?

Exercice 119

Vivre, suivre, poursuivre

Conjugate the verbs in parentheses according to the tenses indicated.
P = présent. PC = passé composé. IMP = imparfait.

1. Vous _____ (vivre, P) chez vos amis.

2. Elles _____ (suivre, IMP) un cours de chinois.

3. Il _____ (vivre, PC) en France.

4. Je _____ (poursuivre, P) des études de chimie.

5. Nous _____ (vivre, IMP) dans une grande maison.

6. Tu _____ (suivre, PC) un cours de physique.

7. Elle _____ (vivre, P) en immeuble.

8. Vous _____ (poursuivre, PC) des études de médecine.

9. Ils _____ (vivre, IMP) sans penser aux autres.

10. Beaucoup de gens _____ (vivre, P) dans la misère.

11. Combien de cours _____ (suivre, P) -vous en ce moment?

12. Ma grand-mère _____ (vivre, PC) jusqu'à l'âge de 100 ans.

Exercice 120

Les pronoms toniques

Complete the following sentences with the correct forms of stressed pronouns.

1. Veux-tu dîner avec _____ ce soir?

2. Connais-tu Monique? Je vais chez _____ .

3. Michel et Marie? _____ est professeur et _____ est infirmière.

4. Thomas et _____ allons au cinéma ce soir.

5. Robert, est-ce que je peux venir chez _____ ce soir?

6. Qui est là? C'est _____!

7. _____, je n'aime pas les tragédies.

8. _____, tu vas aller faire les courses et _____, il va faire la cuisine.

9. Roberta? Ah non! Je ne veux pas partir avec _____!

10. Robert et Michel? D'accord, je vais parler avec _____.

11. _____, vous allez téléphoner.

12. Et _____, qu'est-ce que nous allons faire?

Exercice 121

Les pronoms toniques (suite)

Complete the following sentences with the correct forms of stressed pronouns.

1. Demain, Michèle et _____, nous allons aller au théâtre. Michèle, _____, préfère

les comédies, mais _____, je préfère les tragédies.

2. Paul donne des ordres à toute sa famille:

Thierry, va faire les courses!

_____, Alain, fais la vaisselle!

Papa, _____, tu vas faire la lessive!

Annie et Sylvie, _____, vous préparez le dîner!

Et _____, je vais regarder la télé!

3. Thomas, est-ce que je peux venir chez _____ ce soir?

4. Thierry et Sylvie? Ah non ! Je ne vais pas manger avec _____ ! _____, c'est un

prétentieux, et _____, elle est désagréable.

5. Je n'ai pas confiance en ces gens-là. Je préfère faire ce travail _____.

Exercice 122

L'ordre des pronoms

<u>Answer the following questions using two pronouns.</u>

1. A-t-il donné du gâteau à son enfant?

2. Montrez-vous vos photos à vos amis?

3. Avez-vous vu des monuments à Paris?

4. Est-ce qu'elle vous a envoyé la lettre?

5. Est-ce qu'il y a du vin sur la table?

6. As-tu écrit une carte postale à ta mère?

7. A-t-il communiqué l'heure de départ à ses parents?

8. As-tu présenté Michel à Sylvie?

9. Allez-vous manger du couscous au restaurant marocain?

10. As-tu acheté une cravate à ton mari?

Exercice 123

Pronoms et impératif

Rewrite the following sentences replacing the underlined words with pronouns.

1. Ne buvons pas de bière!

2. Téléphonons à Suzanne!

3. Mange des fruits!

4. Jouez cette sonate!

5. Rends visite à tes parents!

6. Ne parle pas à Thomas!

7. Lis ce livre!

8. Ne va pas au café!

9. Dis bonjour à Madame Durand!

10. Ecrivez ces lettres!

11. Ne parlons pas de politique!

12. Allons en France!

13. Ne me donnez pas ces articles!

14. Allez visiter le musée d'Orsay!

Exercice 124

Pronoms et impératif (suite)

Rewrite the following sentences replacing the underlined words with pronouns.

1. Ne parlez pas dans la bibliothèque!

2. Ne pose pas de questions inutiles!

3. N'oublions pas nos notes!

4. Ne va pas en France!

5. Parle à ta soeur!

6. Parle du film!

7. Ecrivez cette lettre!

8. Dites bonjour aux étudiants!

9. Ne mange pas trop de bonbons!

10. Ne suis pas ce cours!

11. Rends visite à ta cousine!

12. Prends beaucoup de photos!

13. Allez visiter le Louvre!

14. N'oublie pas ton passeport!

15. Ne va pas au café!

16. Donnez-moi votre manteau!

17. Dites la bonne nouvelle à Marc!

18. N'emmène pas tes parents dans ce restaurant!

19. Ne donne pas de bonbons à ces enfants!

20. Envoyez cette lettre à votre tante!

Exercice 125

L'ordre des pronoms

Answer the following questions using two object pronouns.

1. As-tu donné ces livres à ton cousin?
   Oui,

2. As-tu acheté des chaussures à ton fils?
   Oui,

3. Vas-tu conduire ta fille au cinéma?
   Non,

4. Enseignez-vous le passé composé à vos étudiants?
   Oui,

5. Avez-vous offert des fleurs à votre mère?
   Oui,

6. Allez-vous montrer des diapositives à vos amis?
   Non,

10. Est-ce qu'ils vous ont communiqué les horaires de départ?
    Oui,

7. As-tu présenté Sophie à Marc?
   Non,

8. Ont-ils rencontré leur ami au concert?
   Oui,

9. Est-ce que Thomas vous récite ses leçons?
   Oui,

Prépositions et infinitifs

A. VERBES QUI NE PRENNENT **PAS DE PREPOSITION**:

1. Nous / **aimer** / parler / français / mais / nous / **désirer** / faire / des progrès.

2. Ce midi, je / **aller** / manger / restaurant.

3. Je / **détester** / se dépêcher / mais / je / **devoir** / courir / le matin.

4. Il / **espérer** / rencontrer / de nouveaux amis.

5. Tu / **pouvoir** / boire de l'eau.   **Préférer** / tu / boire de la bière?

6. Elle / **laisser** ses enfants / manger beaucoup de bonbons.

7. Vous / **savoir** / parler / russe?

8. Ils / **vouloir** / manger.   Ils / **venir** / dîner chez nous.

9. Je / **penser** / aller en France cet été.

B. VERBES QUI PRENNENT LA **PREPOSITION A** avant l'infinitif:

1. Je / **aider** / mon ami / faire ses devoirs.

2. Nous / **s'amuser** / courir très vite.

3. Vous / **apprendre** / parler français.

4. Il / **chercher** / se distinguer.

5. Elle / **commencer** / se fatiguer.

6. Tu / **continuer** / travailler / chez Boeing?

7. Je / **enseigner** / aux étudiants / parler français.

2.   Ils / **s'habituer** / vivre en France.

9. Tu / **se mettre** / faire du jogging tous les jours.

10. Paul / **inviter** ses voisins / dîner.

11. Les étudiants / **se préparer** / passer un examen.

12. Ils / **réussir** / trouver leurs clés.

13. Ils / **tenir** / obtenir de bonnes notes.

C. VERBES QUI PRENNENT LA **PREPOSITION DE** avant l'infinitif:

1. Marie / **accepter** / se marier avec Pierre.

2. Paul / **s'arrêter** / parler soudainement.

3. Tu / **choisir** / étudier les sciences politiques.

4. Le médecin / **conseiller** / aux patients / se reposer.

5. Vous / **décider** / travailler ensemble.

6. Je/ **demander** /à mon frère / venir me voir.

7. Il / **essayer** / trouver un billet d'avion bon marché.

8. La mère / **empêcher** / son enfant / faire des bêtises.

9. Tu / **oublier** / poster la lettre.

10. Les parents/ **permettre** / à leurs enfants / aller au cinéma.

11. Mon frère / **refuser** / faire la vaisselle.

12. Il / **rêver** / voyager.

13. Nous / **venir** / étudier le conditionnel.

Exercice 127

Prépositions et infinitifs (suite)

Complete the following sentences with à or de or with nothing at all.

1. J'aime _____ nager.

2. Mon fils apprend _____ skier.

3. Nous voulons _____ manger au restaurant ce soir.

4. J'aide mon ami _____ comprendre la leçon.

5. Nous décidons _____ partir en vacances à Hawaii.

6. Elle oublie _____ fermer la porte à clé.

7. Tu continues _____ parler sans écouter.

8. Vous espérez _____ regarder le match.

9. Je choisis _____ changer de travail.

10. Nous cherchons _____ comprendre la situation.

11. Ils viennent _____ dîner.

12. J'enseigne à ma fille _____ parler allemand.

13. Elle peut _____ parler chinois et japonais.

14. Nous finissons _____ préparer le repas.

15. Vous essayez _____ éviter un conflit.

Exercice 128

Prépositions et infinitifs (suite)

Write complete sentences out of the following elements. Use the present tense, unless otherwise indicated.

1. est-ce que / vous / vouloir / aller / cinéma?

2. non, je / choisir / rester / maison / parce que / je / devoir / étudier

3. professeur / français / nous / enseigner / parler / et / écrire / français

4. Bernard / commencer / travailler / banque / ce / semaine

5. tu / rêver / aller / France / et / Angleterre

6. elle / accepter / faire / ménage / mais / elle / refuser / faire / lessive

7. je / aller / aider / mon / soeur / acheter / nouveau / voiture

8. nous / décider (PC) / prendre / cours / russe

9. Marc / essayer / faire / sport / régulièrement

10. vous / ne...pas / savoir / peindre / mais / vous / pouvoir / jouer / piano

Exercice 129

Prépositions et infinitifs (suite)

Complete the following sentences with à or de or with nothing at all.

1. Est-ce que tu sais _____ nager?

2. Non, mais mon frère m'enseigne _____ nager à la piscine.

3. Et toi, quand as-tu appris _____ nager?

4. J'ai commencé _____ nager quand j'avais 5 ans. J'ai essayé _____ apprendre quand j'avais trois ans mais c'était trop tôt!

5. Mon professeur m'a conseillé _____ lire ce livre. Il m'a dit aussi de me mettre _____ lire un livre chaque semaine. J'essaie _____ suivre son conseil mais c'est assez difficile de trouver le temps. Alors tous les jours il faut que je décide _____ faire de gros efforts. Je pense que je vais m'habituer _____ lire davantage.

6. Sophie rêve _____ sortir le soir avec ses amis. Le problème c'est qu'elle n'a que 15 ans et son père refuse _____ la laisser sortir. Sa mère aussi essaie de l'empêcher _____ sortir. Et vous que pensez-vous? Faut-il laisser ses enfants _____ sortir le soir?

7. J'espère _____ devenir sportive. Il faut que je m'habitue _____ faire du jogging régulièrement. C'est horrible! Je déteste _____ faire du jogging! Peut-être devrais-je choisir _____ faire un autre sport.

8. Mon frère n'est pas facile. Il refuse _____ participer aux tâches ménagères. Je viens _____ faire le ménage et je lui ai demandé _____ aller faire les courses, mais il m'a dit: "Arrête _____ me parler! Je veux _____ lire tranquillement!"

Exercice 130

Prépositions et infinitifs (suite)

Write complete sentences out of the following elements. Use the present tense, unless otherwise indicated.

Dialogue A:

1. Est-ce que / tu / vouloir / manger?

2. Oui, je / commencer / avoir faim.

3. (plus tard...) ouh la la! c'est très bon! Où / apprendre (pc) / tu / cuisiner?

1.   Mon prof de français / me / enseigner (pc) / faire des plats français.

Dialogue B:

5. Est-ce que / vous / commencer (pc) / faire du sport?

6. oui, je / essayer / courir / 30 minutes chaque jour

7. Moi aussi, je / chercher / améliorer ma santé

8. je / vous / conseiller / faire du sport.

Dialogue C:

9. Est-ce que / tu / accepter / m'aider / faire la vaisselle?

10. Non! je / venir / faire le ménage / et / je / être / fatigué!

11. Tu / refuser / m'aider?

12. Oui! Essayer (impér.) / trouver / quelqu'un d'autre!

Exercice 131

La formation des adverbes

Complete the following sentences forming adverbs with the adjectives in parentheses.

Model: Il parle _____ (constant).
            Il parle constamment.

1. Nous voulons _____ (absolu) vous inviter.

2. Elles ont demandé _____ (poli) la permission.

3. Tu joues _____ (admirable) bien!

4. Vous devez parler _____ (sérieux).

5. Il est _____ (évident) trop tard pour y aller.

6. Elle parle _____ (courant) allemand.

7. Ils conduisent _____ (lent).

8. Nous avons discuté _____ (long).

9. Tu as _____ (vrai) tort de dire cela.

10. Il est _____ (franc) désagréable.

11. _____ (heureux), nous sommes arrivés sains et saufs.

12. Je voyage _____ (fréquent).

Exercice 132

Phrases à composer

<u>Write complete and correct sentences out of the following elements. Conjugate the verbs in the present tense unless otherwise indicated. PC = passé</u> composé. IMP = imparfait

1. hier soir / Nicolas / décider (PC) / téléphoner / Sonia / pour/ la / inviter / aller / cinéma

2. elle / accepter (PC) / le / retrouver / huit / heures

3. malheureusement / film / ne...pas / être (IMP)/ intéressant

4. après / film / ils / choisir / prendre / bière / café

5. café / ils / rencontrer (PC) / leur / amis / Pascal et Natacha

6. ils / discuter (PC) / longtemps / et / ils / boire (PC) / beaucoup / bière

7. Nicolas / commencer (PC) / être / malade / et / Sonia / devoir (PC) / conduire

8. elle / rentrer (PC) / chez / elle / fatigué / et fâché!

Exercice 133

Verbes réfléchis au présent

Complete the following sentences conjugating the verbs in parentheses in the present tense.

1. Bonjour Madame! Je _____ (s'appeler) Marie. Et vous, comment _____ (s'appeler)?

2. Le week-end, nous _____ (se détendre).

3. Le musée du Louvre _____ (se trouver) à Paris.

4. Quand tu es en retard, tu _____ (se dépêcher).

5. Vous _____ (se demander) s'il va téléphoner.

6. Elle _____ (s'entendre) bien avec son frère.

7. Ils _____ (se souvenir) de leur enfance.

8. Nous _____ (se tromper) encore souvent quand nous parlons français.

9. Est-ce que tu _____ (se rappeler) le nom de ce restaurant?

10. Elles _____ (s'installer) dans leur nouvel appartement.

11. Il ne _____ (s'excuser) pas? Il est impoli.

12. Est-ce que nous allons _____ (s'arrêter) ici?

13. Vous avez besoin de _____ (se reposer).

Exercice 134

Verbes réfléchis au présent (suite)

Write complete sentences out of the following elements. Conjugate the verbs in the present tense.

1. les femmes / se maquiller / et / les hommes / se raser

2. nous / se baigner / dans / mer

3. vous / s'habiller / pour / aller / soirée

4. Paul / se brosser / dents / et / Marie / se laver / cheveux

5. à quelle heure / se lever / vous?

6. je / se réveiller / 8 / heure

7. tu / s'endormir / facilement / soir

8. elle / être / triste / et / elle / se mettre / pleurer

9. ils / aimer / se promener / dans / parc

10. après / cours / nous / s'en aller

Exercice 135

Verbes réfléchis au présent (suite)

Write complete sentences out of the following elements. Conjugate the verbs in the present tense.

1. je / avoir / 2 / frère / Nous / s'entendre / bien

2. week-end / tout le monde / se détendre

3. quand / on / être / retard / on / se dépêcher / et / on / s'excuser

4. vous / ne...pas / se tromper

5. tu / aller / s'installer / Paris / année / prochain

6. les clés / ne...pas / se trouver / sur/ table

7. est-ce que / tu / se rappeler / date de la révolution française?

8. oui, je / se souvenir / ce / date

9. nous / aller / s'amuser / à / soirée / Stéphanie.

10. on / se reposer / quand / on / être / fatigué

Exercice 136

Verbes réfléchis au présent (suite)

Complete the following sentences conjugating the verbs in parentheses in the present tense.

1. Bonjour Monsieur. Je m'appelle Damien. Comment _____ (s'appeler)?

2. Où _____ (se trouver) le Jardin du Luxembourg?

3. Malheureusement, l'autobus _____ (ne....pas s'arrêter) devant chez moi.

2. 7 fois 10 font 77. Mais non! Tu _____ (se tromper)!

3. Nous _____ (ne...plus se rappeler) notre enfance.

4. Ils _____ (se demander) s'ils vont réussir à l'examen.

5. Est-ce que vous _____ (s'entendre) bien avec vos parents?

6. Je _____ (s'installer) dans une maison.

7. Pendant les vacances nous _____ (se reposer) et _____ (se détendre).

8. Elle _____ (ne...jamais se dépêcher) jamais quand elle est en retard!

9. Il _____ (ne...plus se souvenir) de ses instituteurs de l'école primaire.

10. Quand vous êtes en retard, vous _____ (s'excuser).

Exercice 137

Verbes réfléchis au passé composé

Complete the following sentences, conjugating the verbs in parentheses in the passé composé.

1. Michel _____ (s'ennuyer) à la soirée.

2. Paula _____ (se baigner) dès son arrivée.

3. Philippe et Benjamin _____ (se disputer).

4. Nous _____ (s'amuser) pendant nos vacances.

5. Quand est-ce qu'ils _____ (se marier)?

6. Où est-ce que vous _____ (se rencontrer)?

7. Est-ce qu'elles _____ (se téléphoner) hier soir?

8. Elle _____ (se fâcher) avec sa mère.

9. Nous _____ (se laver) les mains.

10. Ils _____ (se dire) la vérité.

11. Je _____ (ne...pas se tromper) cette fois-ci!

12. Est-ce que vous _____ (se reposer) ce week-end?

13. Ils _____ (s'écrire) pendant l'année.

14. Nous _____ (se brosser) les cheveux.

Exercice 138

Verbes réfléchis au passé composé (suite)

Rewrite the following paragraphs in the passé composé.

1) Henri et Stéphanie se marient l'année dernière. Ils invitent tous leurs amis pour leur reception et tout le monde s'amuse. Ils dansent toute la nuit et se couchent au petit matin.

2) Monique se lève à huit heures. Elle prend son petit-déjeuner, puis elle se lave et se brosse les dents. Elle s'habille et elle part au travail. Dans le bus, elle se repose et lit son livre.

3) Paul et moi, nous nous téléphonons et nous parlons pendant une demi heure. Thomas s'excuse mais je me fâche. Nous nous disputons!

Exercice 139

Verbes réfléchis à l'impératif

Write commands using the imperative.

Model: Stéphanie / se lever!
           Stéphanie, lève-toi!

1. Marie / ne...pas s'en aller

2. Maurice et Jean / s'amuser bien

3. Richard / se laver / mains

4. Charles / ne...pas se coucher / tard

5. Sylvie / s'habiller

6. Robert et Fredéric / ne...pas se téléphoner

7. Victor / s'installer

8. Sophie / se brosser / cheveux

Exercice 140

Verbes réfléchis, temps variés

Conjugate the verbs at the tenses indicated. P = présent; PC = passé composé; IMP = imparfait; FP = futur proche; I = impératif.

1. nous, se marier (PC)

2. vous, se parler (FP)

3. ils, se connaître (IMP)

4. je, se peigner (P)

5. tu, s'endormir (I)

6. elle, se maquiller (PC)

7. nous, se baigner (FP)

8. vous, s'amuser (IMP)

9. tu, se détendre (P)

10. nous, s'en aller (I)

11. je, s'ennuyer (PC)

12. elles, s'installer (FP)

13. il, se coucher (P)

14. vous, se promener (I)

Exercice 141

Phrases à composer

Write complete and correct sentences out of the following elements. Conjugate the verbs in the present tense unless otherwise indicated. PC = passé composé. IMP = imparfait

1. année / dernier / nous / se disputer (PC) / mais / ce / année / nous / s'entendre / bien

2. Marie / se réveiller (PC) / 6 / heure / et / elle / se rendormir (PC)

3. je / se laver / mains / et / se brosser / dents

4. elles / se téléphoner (IMP) / souvent / mais / elles / se fâcher / maintenant

5. Nicole / se mettre (PC) / pleurer / parce que / son / amis / être (IMP) / désagréable

6. est-ce que / vous / s'amuser (PC) / pendant / vacances?

7. tu / ne...jamais / se tromper / quand / tu / parler / anglais

8. Maurice / s'habiller (PC) / et / il / sortir (PC)

9. nous / s'ennuyer (IMP) / quand / nous / lui / rendre visite (IMP)

10. ils / se dépêcher (PC) / car / film / avoir (IMP) / déjà commencé

Exercice 142

Ouvrir, couvrir, découvrir, souffrir, offrir

Substitute the subjects as indicated in the following sentences.

1. Béatrice ouvre un compte.

Nous _____ un compte.

2. Ils ont découvert la vérité.

Tu _____ la vérité.

3. Vous avez beaucoup souffert.

Il _____.

4. Est-ce que tu offres souvent des fleurs à ton amie?

Est-ce que vous _____ des fleurs à votre amie?

5. J'ai couvert le gâteau avec de l'aluminium.

Elles _____ le gâteau avec de l'aluminium.

6. Ils découvrent un nouveau remède.

Je _____ un nouveau remède.

7. Tu as ouvert la porte.

Nous _____ la porte.

Exercice 143

Ouvrir, couvrir, découvrir, souffrir, offrir (suite)

<u>Substitute the subjects as indicated in the following sentences.</u>

1. Jean-Paul ouvre un compte d'épargne. (nous / je / tu)

2. Hier, Sylvie a ouvert un compte. (ils / vous / tu)

3. Comment couvres-tu ces dépenses? (elles / on / vous)

4. Je vous offre mille francs. (nous / il / vous)

5. Il m'a offert de l'argent. (ils / vous / tu)

6. Il souffre d'une grave maladie. (nous / je / elles)

7. Nous avons découvert un remède utile. (elle / tu / je)

8. La mère a couvert cet enfant qui dormait. (les parents / tu / vous)

9. J'ai beaucoup souffert.   (il / ils / nous)

10. Je découvre de nouvelles choses. (vous / elles / tu)

Le Futur: présentation des verbes irréguliers

Voici quelques phrases qui pourront vous servir de modèle:

Cet été, j'irai en France.   (aller)

J'aurai beaucoup de choses à faire.   (avoir)

Je devrai rendre visite à toute ma famille et à tous mes amis.   (devoir)

J'enverrai des cartes postales à mes amis de Seattle.   (envoyer)

Je serai heureuse.   (être)

Je ferai beaucoup de choses.   (faire)

Il ne pleuvra pas, il fera beau.   (pleuvoir)

Je pourrai aller à la plage.   (pouvoir)

Je saurai parler français...   (savoir)

Je reviendrai à Seattle au mois d'août.   (revenir/venir)

Je verrai mes amis américains.   (voir)

Je voudrai probablement retourner en France l'année suivante. (vouloir)

Je recevrai peut-être une invitation! (recevoir)

Exercice 144

Le futur

<u>Conjugate the verbs in parentheses in the future.</u>

1. Demain, nous _____ (aller) au restaurant japonais.

2. Je _____ (prendre) de la soupe.

3. Vous _____ (partir) de chez vous à 13 heures.

4. Ils _____ (être) à l'aéroport quand vous _____ (arriver).

5. Tu _____ (savoir) bientôt parler français.

6. Elle _____ (faire) ses devoirs ce soir.

7. Nous ne _____ (travailler) pas ce week-end.

8. Tu _____ (se reposer) pendant les vacances.

9. Ils _____ (parler) pendant une heure ou deux.

10. Vous ne _____ (voir) pas vos parents.

11. Il _____ (s'en aller) quand il le _____ (vouloir).

12. Je ne _____ (dormir) pas tard demain matin.

13. Nous _____ (envoyer) cette lettre plus tard.

14. La semaine prochaine, ils _____ (devoir) se séparer.

15. Vous ne _____ (pouvoir) pas visiter ce musée.

Exercice 145

Le futur (suite)

Rewrite the following sentences using the future.

1. Elle est très contente d'arriver.

2. Il pleut.

3. Ils ouvrent un restaurant.

4. Nous finissons notre dîner.

5. J'ai besoin de me reposer.

6. Vous allez en France cet été.

7. Tu mets ton nouveau costume.

8. Elles se lavent les cheveux.

9. Nous voyons nos amis.

10. Vous pouvez passer leur dire bonjour.

11. Je viens vous voir.

12. Il doit leur présenter ce projet.

13. Tu ne veux pas te disputer avec eux.

14. Ils cherchent une cabine téléphonique.

15. Elle souffre de cette séparation.

Exercice 146

Le futur (suite)

<u>Answer the following questions.</u>

1. Où irez-vous ce week-end?

2. Vous reposerez-vous pendant vos prochaines vacances?

3. Chercherez-vous bientôt un nouveau travail?

4. Quand ferez-vous le ménage?

5. Quand verrez-vous vos parents?

6. Finirez-vous vos devoirs ce soir?

7. Mangerez-vous chez des amis ce soir?

8. Prendrez-vous le bus demain matin?

9. Aurez-vous faim dans une demi-heure?

10. Quand pourrez-vous aller en France?

Exercice 147

Le futur (suite)

Rewrite the following sentences in the future.

1. Je cherche du travail.

2. Mon frère m'aide à chercher.

3. Il en parle à son directeur.

4. Mes parents m'offrent leur aide.

5. Nous mettons une petite annonce dans le journal.

6. Tu m'aides à me préparer pour mon entrevue.

7. Je vais au rendez-vous et j'ai très peur.

8. L'entrevue se passe bien.

9. Je trouve un poste.

10. Nous fêtons ce succès ensemble et tout le monde est heureux.

11. Nous allons au restaurant.

12. Nous buvons du champagne.

13. Nous avons mal à la tête.

14. Nous nous disputons.

15. Nous devons rentrer à la maison.

Pronoms relatifs: présentation

1. QUI

Je cherche le garçon. Le garçon porte une chemise verte.
Je cherche le garçon qui porte une chemise verte.

Je promène le chien. Le chien s'appelle Spot.
Je promène le chien qui s'appelle Spot.

Cette table est horrible. La table est très vieille
Cette table qui est très vieille est horrible.

2. QUE

Ce livre est intéressant. Je lis ce livre.
Ce livre que je lis est intéressant.

Cette femme est médecin. Je connais cette femme.
Cette femme que je connais est médecin.

AU PASSE COMPOSE

La jeune fille qui a dîné avec nous s'appelle Josiane.
Les amies de Paul qui sont arrivées hier sont sympathiques.
Les amies de Paul que j'ai vues hier sont sympathiques.
L'homme qu'elle a rencontré est américain.

NB: qui never elides but que does.
La personne qui est arrivée… (qui)
La personne qu' elle attend… (que)

3. QUI + préposition

Je parle à ce garçon. Le garçon s'appelle Raymond.
Le garçon à qui je parle s'appelle Raymond.

Je pars en vacances avec des amis. Ces amis sont sympathiques.
Les amis avec qui je pars en vacances sont sympathiques.
J'habite chez une amie. Cette amie est avocate.
L'amie chez qui j'habite est avocate.

4. DONT

A. Pour la préposition DE

Mon amie a un chien. J'ai peur du chien.
Mon amie a un chien <u>dont</u> j'ai peur.

Le cours est intéressant. Je parle de ce cours.
Le cours <u>dont</u> je parle est intéressant.

B. Pour le possessif (whose)

C'est mon amie. Son mari travaille à Microsoft.
C'est mon amie <u>dont</u> le mari travaille à Microsoft.

5. Où

Cette ville s'appelle Nantes. J'habite dans cette ville.
Cette ville <u>où</u> j'habite s'appelle Nantes.

Exercice 148

Les pronoms relatifs

I. Complete the following sentences using qui or que.

1. L'homme _____ est à côté de Marc s'appelle Olivier.
2. Le livre _____ est sur la table appartient à Michel.
3. Le livre _____ je lis en ce moment est fascinant.
4. La maison _____ vous avez acheté__ est splendide.
5. Ce sont Jean et Micheline _____ ont décidé de dire la vérité.
6. Les fraises _____ tu as trouvé__ sont trop mûres.
7. Prends la pizza _____ est dans le congélateur.
8. Les gens _____ vous allez rencontrer sont anglais.

II. Complete the following sentences with dont, où, à qui, chez qui, or avec qui.

1. La ville _____ ils vivent est très grande.
2. Les vacances _____ nous rêvons sont très chères.
3. Les amis _____ nous allons dîner sont toujours en retard.
4. C'est Thomas _____ elle a téléphoné.
5. Le livre _____ j'avais besoin n'était plus édité.
6. La famille _____ il a vécu en France est très modeste.
7. Il parle du pays _____ il est né.
8. C'est cet étudiant _____ les parents sont russes.

III. Complete the following sentences with relative pronouns.

1. Nous parlons de la voiture _____ nous venons d'acheter.
2. La boulangerie _____ j'achète mon pain est une boulangerie _____ est très renommée.
3. Voici la robe _____ elle a envie.
4. Où est la personne _____ j'ai parlé au téléphone?
5. Les examens _____ nous avons fini__ étaient longs et difficiles.

Exercice 149

Les pronoms relatifs (suite)

<u>Rewrite the following sentences linking them with a relative pronoun.</u>

<u>Model:</u>   Voici le livre. J'ai besoin de ce livre pour ma dissertation.
                 Voici le livre dont j'ai besoin pour ma dissertation.

1. L'opéra était excellent. Nous avons vu cet opéra.
L'opéra _____.

2. La famille n'est pas sympathique. La famille vit au deuxième étage.
La famille _____.

3. Robert est la personne. J'ai vendu ma voiture à Robert.
Robert est la personne_____.

4. Le magasin est à Paris. Il a acheté sa cravate dans ce magasin.
Le magasin _____.

5. L'amie s'appelle Sylvie. Monique aime voyager avec cette amie.
L'amie _____.

6. Le musée est le musée d'Orsay. Nous avons discuté de ce musée.
Le musée _____.

7. Les examens sont trop longs. Les professeurs préparent ces examens.
Les examens _____.

8. Les chaises sont dans la cuisine. Les chaises ne sont pas confortables.
Les chaises _____.

Exercice 150

Les pronoms relatifs (suite)

Rewrite the following sentences linking them with a relative pronoun.

1. Voilà la femme. J'ai fait la connaissance de la femme hier.

2. Marc aime la cravate. Tu lui as acheté la cravate la semaine passée.

3. La jeune fille est française. Nous sommes allés au cinéma avec la jeune fille.

4. Les chaussures sont belles. Pierre a acheté les chaussures à Rome.

5. J'aime bien mes amis. Je fais beaucoup d'efforts pour mes amis.

6. La femme s'appelle Minna. Dracula a mordu (mordre=to bite) la femme.

7. Godzilla est le monstre. J'ai peur de ce monstre.

8. La salle de classe est grande. J'ai mon cours de français dans la salle de classe.

9. Voilà le livre. Nous avons besoin du livre.

10. L'actrice vient d'arriver. J'admire l'actrice.

11. Tammy Faye est la femme. J'ai vendu du maquillage à la femme.

12. Le stylo est sur la table. Le stylo est cher.

13. L'homme nous accompagne à l'aéroport. L'homme est très sympathique.

14. C'est l'étudiant. Ses parents sont belges.

Exercice 151

Comparaisons et adjectifs

I. How do these people or things compare? Write full sentences using the comparative word given in parentheses.

1. Camille est sportive. Marie n'est pas très sportive. (plus)

2. Ce pantalon est assez cher. Cette jupe est très chère. (moins)

3. Ces chaussures sont confortables. Ces sandales sont confortables. (aussi)

4. Ce gâteau au chocolat est bon. Cette tarte aux abricots est excellente. (plus)

5. L'allemand est difficile. Le français est difficile. (aussi)

6. Ces fraises sont sucrées. Ces framboises ne sont pas très sucrées. (moins)

7. Ces étudiantes sont sérieuses. Ces étudiants ne sont pas très sérieux. (plus)

8. Cette bière est fraîche. Ce coca n'est pas très frais. (moins)

9. Ces poèmes-ci sont beaux. Ces poèmes-là sont beaux. (aussi)

10. Cette fille est grande. Ce garçon est petit. (plus)

Exercice 152

Comparaisons et adjectifs (suite)

Express your opinion comparing the following people and objects and using the adjectives in parentheses.

Model: mon frère / ma soeur (sérieux)
               mon frère est plus sérieux que ma soeur.

1. mon père / ma mère (sportif)

2. mon cours de français / mon cours de maths (difficile)

3. le vin blanc / le vin rouge (meilleur)

4. Julia Roberts / Madonna (beau)

5. le café / le chocolat (bon)

6. les tennis / les bottes (confortable)

7. les rubis / les diamants (cher)

8. votre frère / votre soeur (travailleur)

Exercice 153

Le superlatif de l'adjectif

<u>Write sentences comparing the following people and things and using the superlative.</u>

<u>Model:</u>   Sylvie est un peu blonde. Maria est blonde. Sophie est très blonde.

          Sophie est la plus blonde des 3.

1. Robert est grand. Michel est petit. Marc est très petit.

2. Cette tarte n'est pas bonne. Ces éclairs sont excellents. Ce gâteau est assez bon.

3. Le français est assez diffficile. Le japonais est difficile. Le chinois est très difficile.

4. Ces haricots verts ne sont pas frais. Ces pommes sont très fraîches. Ce céleri est frais.

5. Monique est très patiente. Sonia n'est pas patiente. Pierrette est assez patiente.

6. Bernard fait du vélo et du ski. Robert ne fait pas de sport. André fait du jogging, du surf, du vélo et du cheval.

Exercice 154

Phrases à composer

Write complete and correct sentences out of the following elements. Conjugate the verbs in the present tense unless otherwise indicated. PC = passé composé. IMP = imparfait. FUT = futur.

1. demain , nous / aller (FUT) / banque / pour / déposer / chèque

2. avoir / tu / compte / d'épargne?

3. oui mais / je / déposer (FUT) / chèque / sur / mon / compte-chèques / et ensuite / je / utiliser (FUT) / distributeur automatique / pour / retirer / liquide

4. faire / tu / beaucoup / économies?

5. malheureusement non / je / dépenser / argent / que / je / gagner

6. vouloir (FUT) / tu / partir / vacances / avec moi?

7. où / vouloir / tu / aller?

8. nous / pouvoir / aller / Allemagne / ou / Italie

9. d'accord / alors / ce / après-midi / je / ouvrir (FUT) / compte d'épargne / pour / commencer / faire / économies

Exercice 155

Courir et rire

Conjugate the verbs courir and rire in the following sentences, according to the indications of tense.

1. Vous _____ (courir, P) tous les matins.

2. Elle _____ (rire, PC) toute la soirée.

3. Nous ne _____ (courir, F) pas pour être à l'heure.

4. Ils ne _____ (rire, P) pas souvent.

5. Je me ferais disputer si je _____ (rire, IMP).

6. Tu _____ (courir, PC) pendant 45 minutes.

7. Ces athlètes _____ (courir,P) très vite.

8. Vous _____ (rire, P) aux larmes.

9. Elle ne _____ (courir, IMP) jamais.

10. Elle _____ (courir, P) tous les jours.

11. Ils _____ (rire, PC) pendant tout le film.

12. Si vous allez voir cette comédie, vous _____ (rire,F) beaucoup!

Pronoms interrogatifs: présentation

1. SUJET:

Marie a parlé à Jean.   *sujet / humain*
1. Qui a parlé à Jean?
2. Qui est-ce qui a parlé à Jean?

Le livre est sur la table.   *sujet / non-humain*
1. Qu'est-ce qui est sur la table?

2. OBJET:

Je cherche mon frère.   *objet / humain*
1. Qui cherches-tu?
2. Qui est-ce que tu cherches?

Je cherche mon livre.   *objet / non-humain*
1. Que cherches-tu?
2.Qu'est-ce que tu cherches?

NB: Pour l'inversion avec un nom:
Qui le professeur cherche-t-il?
Que cherche le professeur?

3. OBJET DE PREPOSITION:

Robert téléphone à Marie.   *objet de préposition / humain*
1. A qui Robert téléphone-t-il?
2. A qui est-ce que Robert téléphone?

Marie pense à son examen.   *objet de préposition / non-humain*
1. A quoi Marie pense-t-elle?
2. A quoi est-ce que Marie pense?

Les autres prépositions fonctionnent de manière identique: de, avec, pour, chez, après etc...
Exemples:
Chez qui as-tu dîné hier soir?
De quoi as-tu besoin?

Exercice 156

Pronoms interrogatifs

Answer the following questions and identify the grammatical function of each interrogative pronoun.

Model: Qui est-ce que tu as vu hier soir?
               J'ai vu mon ami Pierre. (function: object)

1. De quoi as-tu parlé avec Pierre?

2. Qu'est-ce que vous avez mangé?

3. Qui est-ce qui a fait la cuisine?

4. A qui as-tu téléphoné ce matin?

5. Que vas-tu lire cette semaine?

6. Qu'est-ce qui est vert et a deux jambes que les Français aiment manger?

7. Avec quoi boit-on du vin blanc en général?

8. Qui est allé au cinéma hier soir?

Exercice 157

Pronoms interrogatifs (suite)

Find the questions that correspond to the following answers, using interrogative pronouns.

1. Martine mange un sandwich.

2. Nous regardons une comédie à la télé.

3. Camille parle à ses amis.

4. Ma mère joue de la harpe.

5. Nous allons jouer au football.

6. Les affiches sur le mur sont horribles.

11. Sophie aime Paul.

8. Je vais dîner chez ma soeur ce soir.

9. Les étudiants doivent beaucoup lire.

10. Vous portez toujours une cravate.

11. Ton chapeau vert est sur la table.

12. Nous avons vu Paul et Georgette à la fête.

13. Nous avons vu Paul et Georgette à la fête.

14. J'ai écrit cette lettre avec mon stylo noir.

15. Ghislaine est allée au cinéma avec Nicole et Robert.

16. Ghislaine est allée au cinéma avec Nicole et Robert.

17. J'ai trouvé ton livre de français.

18. Je réfléchis à mon futur métier.

19. Nous pensons à nos parents.

20. Marc a besoin de son slip de bain.

21. Fifi et Georges sont arrivés en retard.

22. Nous avons écouté le professeur.

23. J'ai nettoyé la salle de bains.

Exercice 158

Pronoms interrogatifs (suite)

<u>Find the questions that correspond to the following answers, using interrogative pronouns.</u>

<u>Model:</u>   J'ai mangé du poulet.
          Qu'as-tu mangé? or Qu'est-ce que tu as mangé?

1. Nous parlons du dernier film de Woody Allen.

2. Elle regarde un film japonais à la télé.

3. Hélène est arrivée.

4. Cette carte postale est arrivée.

5. Vous partez en vacances avec des amis.

6. J'adore les frites.

7. Marie aime Michel.

8. Il porte souvent un costume et une cravate.

Exercice 159

Le pronom interrogatif lequel

<u>Complete the following sentences with the correct form of the interrogative pronoun</u>
<u>"lequel".</u>

1. Vous avez lu trois pièces de Shakespeare. _____ avez-vous préférée?

2. Elle a 10 amies. Avec _____ va-t-elle souvent au cinéma?

3. Voici trois légumes. _____ voulez-vous manger?

4. Ces quatre actrices jouent dans ce film. _____ aimez-vous le plus?

5. Beaucoup de grandes villes américaines sont polluées. A votre avis, _____ est la plus polluée?

6. Nous apprenons des poèmes de Jacques Prévert? _____ allez-vous réciter?

7. Tu adores les sports d'équipe. _____ préfères-tu?

8. J'ai visité quelques pays d'Amérique du Sud. _____ avez-vous visités?

9. Voici cinq bons restaurants. _____ vas-tu choisir?

10. Beethoven a écrit de nombreuses sonates. _____ aimeriez-vous écouter?

Exercice 160

Le conditionnel présent

Complete the following sentences conjugating all the verbs in the present conditional.

1. Si nous étions à Paris, nous _____ (visiter) Montmartre.

2. Tu _____ (devoir) téléphoner à Pierre ce soir.

3. Si je pouvais partir en vacances, je _____ (aller) à Tahiti.

4. Où _____ (pouvoir) - nous dîner?

5. A ta place, je _____ (faire) attention à ce que je dis.

6. Si elle était fatiguée, elle _____ (se reposer).

7. Si vous aviez écouté, vous _____ (savoir) la réponse.

8. Si tu pouvais, tu _____ (choisir) un dessert.

9. Est-ce que vous _____ (vouloir) m'aider?

10. Si j'avais le temps, je _____ (venir) à ta soirée.

11. Il _____ (aimer) beaucoup visiter Salzburg.

12. Est-ce que tu _____ (avoir) quelques dollars?

13. Ses parents _____ (être) contents si elle réussissait à cet examen.

Exercice 161

Le conditionnel présent (suite)

Give the following people some advice, using the conditional.

Model: Robert, tu es trop paresseux.
          A ta place, je travaillerais.

1. Marie tu bois trop de bière!
Si j'étais toi, je _____.

2. Michel, tu as de mauvaises notes!
A ta place, je _____.

3. Henri et Marc, vous n'écoutez pas pendant les cours.
Vous _____.

4. Maman, tu ne fais pas de sport!
A ta place, je _____.

5. André, tu fumes trop!
Tu _____.

6. Les enfants, vous regardez trop la télé!
Vous _____.

7. Pierrette, ta robe n'est pas très belle!
Si j'étais toi, je _____.

8. Monique, tu as l'air très fatiguée!
Tu _____.

Exercice 162

Le conditionnel et le futur

Complete the following sentences with the future or the conditional paying special attention to the tenses used in the si clauses.

1. Si nous buvons trop, nous _____ (être) malades.

2. Si elle pouvait, elle _____ (s'acheter) des vêtements.

3. Je lui _____ (parler) s'il n'était pas si désagréable.

4. Vous _____ (aller) lui rendre visite si vous passez par Strasbourg.

5. S'il a assez d'argent, il ne _____ (travailler) pas cet été.

6. Si nous étions pressés, nous _____ (prendre) un taxi.

7. Si j'ai le temps, je _____ (venir) te dire bonjour.

8. Qu'est-ce que tu _____ (faire) si tu avais mille dollars?

9. Si nous le devions, nous _____ (vendre) notre voiture.

10. Où _____ (partir) - vous si vous pouviez voyager?

11. Quelle ville _____ (visiter) - tu si tu étais en Allemagne?

12. Quel cours _____ (choisir) - vous si vous continuez vos études?

ATTENTION:

Si + présent ---------- futur
Si + imparfait ---------- conditionnel

Si j'avais 10 000 dollars, j' achèterais une belle voiture.
Si j'étais moins fatiguée, je ferais un jogging.

MAIS:

Si j'ai le temps, je viendrai te voir.
Si nous allons au cinéma, nous verrons un film d'horreur.

Exercice: Mettez les verbes au temps qui convient

1. Si tu _____(être) aimable, tu aurais des amis.

2. S'il _____ (faire) chaud, je me baignerais.

3. Si tu _____ (venir) chez moi, je te montrerai mon nouveau canapé.

4. Si vous _____ (vouloir) faire un effort, vous comprendriez.

5. Si tu ne veux pas voir ce film, nous _____ (aller) en voir un autre.

Exercice 163

Comparaisons, adverbes et noms

<u>Write complete sentences making comparisons.</u>

1. Henri a trois animaux domestiques. Michel a juste un poisson rouge.

2. John parle français tous les jours. Harry parle français le lundi.

3. Monique a trois robes. Sylvie a treize robes.

4. Marc ne chante pas très bien. Bernard chante bien.

5. Didier a deux frères. Michèle a deux frères aussi.

6. René lit deux livres par semaine. Nicolas lit un livre par mois.

7. Charles a vu un film français. Nick a vu quinze films français.

8. Robert nage mal. Henriette nage très bien.

9. Les Durand ont deux enfants. Les Rémi ont quatre enfants.

Exercice 164

Comparaisons, adverbes et noms (suite)

Write complete sentences making comparisons.

1. André a 2 livres. / Robert a 10 livres.

2. Monique travaille 20 heures par semaine. / Bertrand travaille 38 heures par semaine.

3. Xavier va au cinéma 3 fois par semaine. / Michel va au cinéma 2 fois par mois.

4. Bruno et Sylvie regardent la télé 2 heures par jour.

5. Anne lit un journal. / Marie lit 3 journaux.

6. Elise rit souvent. / Eugène ne rit pas souvent.

7. José parle bien anglais. / Sonia ne parle pas bien anglais.

8. Nicole a sept robes. / Geneviève a treize robes.

9. Nicolas court très vite. / Bernard court assez vite.

10. Chantal parle très bien le français. / Janet parle mal le français.

11. Charles a vingt cahiers. / Alain en a vingt aussi.

12. John Travolta danse très bien. / Kevin Costner ne danse pas bien.

13. Suzanne a lu cinq romans d'amour. / Patrick en a lu sept.

14. La tortue (turtle) marche très lentement. / Le lièvre marche très vite.

Exercice 165

Phrases à composer

<u>Write complete and correct sentences out of the following elements. Conjugate the verbs in the present tense unless otherwise indicated. PC = passé composé. IMP = imparfait. COND = conditionnel. FUT = futur.</u>

1. que / faire (PC) / tu / pendant / week-end?

2. je / faire (PC) / bricolage / et / jardinage.   Et toi?

3. nous / vouloir (IMP) / aller / match de foot / mais / il / pleuvoir (PC)

4. qui / être (IMP) / avec toi?

5. mon / amis / Pierre et Renée.

6. si / nous / avoir (IMP) / temps / ce / semaine / nous / pouvoir (COND) / jouer / pétanque

7. ce / être / bon / idée / mais / que / faire (FUT) / nous / si / il / pleuvoir?

8. nous / aller (FUT) / cinéma / ou / spectacle

Exercice 166

L'adjectif et le pronom tout

<u>Complete the following sentences with the correct form of tout.</u>

1. Nous allons à l'université _____ les jours.

2. L'enfant a toussé _____ la nuit.

3. Elle fait du jogging _____ les matins.

4. Robert a mangé _____ les fraises!

5. _____ a l'air délicieux sur ce menu.

6. _____ mes amis sont venus à ma soirée.

7. Nous avons discuté pendant _____ le trajet.

8. _____ s'est très bien passé.

9. J'ai téléphoné à _____ mes étudiantes.

10. Mes professeurs? Oui, ils sont _____ très stricts!

11. _____ les touristes vont voir ce musée.

12. Je penserai à vous _____ ma vie.

13. Il faut que nous allions _____ voir ce film.

14. Que vas-tu faire avec _____ ces oranges?

Adjectifs et pronoms indéfinis: présentation

QUELQUES (+ nom)

J'ai quelques amis à Londres.
As-tu décoré ton appartement? Oui, j'ai mis quelques affiches au mur.

QUELQU'UN ou QUELQU'UN DE (+ adjectif)

J'entends quelqu'un parler dehors.
J'ai rencontré quelqu'un de sympathique hier.

QUELQUE CHOSE ou QUELQUE CHOSE DE (+ adjectif)

Il y a quelque chose sur la table.
Il y a quelque chose de bon à manger ce soir?

QUELQUES-UNS ou QUELQUES-UNES
ou
QUELQUES-UNS DE ou QUELQUES-UNES DE

As-tu des amis à Paris? Oui, quelques-uns.
As-tu des affiches intéressantes? Oui, quelques-unes.
Quelques-uns de mes amis sont italiens.
Quelques-unes de mes amies sont italiennes.
As-tu lu de bons livres? Oui, j'en ai lu quelques-uns d'intéressants.

CHAQUE (+ nom)

Chaque matin je fais du jogging.
Je mange au Hub chaque mardi.

CHACUN ou CHACUNE

J'ai de bons étudiants. Chacun étudie tous les jours.
J'ai de bonnes étudiantes. Chacune étudie tous les jours.

UN AUTRE ou UNE AUTRE ou D'AUTRES

a) comme pronoms:
J'ai un oncle qui habite en Belgique et un autre qui vit au Canada.
J'ai une tante qui habite en Suède et une autre qui habite en Suisse.
J'ai des frères qui habitent en France et d'autres qui vivent en Italie.
b) comme adjectifs:
J'ai un oncle qui habite en Belgique et un autre oncle qui vit au Canada.
J'ai une tante qui habite en Suède et une autre tante qui habite en Suisse.
J'ai des frères qui habitent en France et d'autres frères qui vivent en Italie.

L'AUTRE ou LES AUTRES

a) comme pronoms:
J'ai deux frères: l'un habite en Chine et l'autre sur la Lune.
J'ai trois frères: l'un habite au Japon et les autres sur Mars.

b) comme adjectifs:
J'ai deux frères: l'un habite en Chine et l'<u>autre frère</u> sur la Lune.
J'ai trois frères: l'un habite au Japon et <u>les autres frères</u> sur Mars.

CERTAINS ou CERTAINES

a) comme pronoms:
J'ai beaucoup d'amis. <u>Certains</u> sont algériens et d'autres tunisiens.
J'ai beaucoup d'amies. <u>Certaines</u> sont algériennes et d'autres tunisiennes.

b) comme adjectifs:
J'ai beaucoup d'amis. <u>Certains amis</u> sont sympathiques mais d'autres ne le sont pas.
J'ai beaucoup d'amies. <u>Certaines amies</u> sont sympathiques mais d'autres ne le sont pas.

LE MEME / LA MEME / LES MEMES

a) comme pronoms:
Tu as un beau manteau. Je vais m'acheter <u>le même</u>.
Tu as une belle cravate. Je vais m'acheter <u>la même</u>.
Tu as de belles chaussures. Je vais m'acheter <u>les mêmes</u>.

b) comme adjectifs:
J'ai <u>le même manteau</u> que toi.
J'ai <u>la même cravate</u> que toi.
J'ai <u>les mêmes chaussures</u> que toi.

PLUSIEURS

a) comme pronom:
J'ai invité 20 amis pour mon anniversaire. <u>Plusieurs</u> sont venus mais pas tous.
b) comme adjectif:
J'ai <u>plusieurs amis</u> à Chicago.

Exercice 167

Adjectifs et pronoms indéfinis

<u>Choose the correct expression for each sentence.</u>

1. Jacques se rase <u>chaque / tout</u> matin.

2. J'ai <u>certains / quelques-uns</u> amis à Nice et <u>quelques / d'autres</u> à Marseille.

3. Nous avons rencontré <u>certain / quelqu'un</u> d'intéressant à la bibliothèque.

4. <u>Certaines / tous</u> personnes sont toujours maussades alors que <u>plusieurs / d'autres</u> sont toujours joyeuses.

5. Vous avez un oncle médecin et <u>un autre / quelqu'un</u> pharmacien.

6. <u>Chacun / tout</u> va lire dans sa chambre.

7. Tu as beaucoup de cravates! <u>Chacune / quelques-unes</u> sont jolies mais <u>toutes / d'autres</u> ne sont vraiment pas belles.

8. J'ai envie de boire <u>quelque chose / quelque chose de</u> frais.

9. J'ai vu <u>plusieurs / les autres</u> films avec Helen Hunt.

10. Il a <u>la même / les mêmes</u> chemise que toi.

11. Nous passons <u>plusieurs / toutes</u> nos vacances en Normandie.

12. Marie mange au restaurant <u>chacun / chaque</u> midi.

Exercice 168

Adjectifs et pronoms indéfinis (suite)

Choose the correct expression for each sentence.

1. Tous / Chacun les touristes qui vont à Paris veulent voir la Tour Eiffel.

2. J'ai quelques / tous amis à Vienne.

3. Certaines / L'autre régions de France sont plus belles que chaque / d'autres.

4. Tim va en Provence quelques-uns / chaque été.

5. Florence a vu quelque chose / le même d'intéressant au musée du Louvre.

6. La cathédrale de Notre-Dame de Paris est admirée par tous / quelques.

7. J'ai envoyé une carte postale de toutes / chaque ville.

8. Ils ont visité chacun / le même château l'année dernière.

9. Marie a beaucoup de robes. Quelques-unes / chaque sont courtes et l'autre / d'autres sont longues.

10. Après les cours, chacun / chaque doit étudier à la maison.

11. Il a chanté quelques-unes / plusieurs chansons.

Exercice 169

Adjectifs et pronoms indéfinis (suite)

<u>Write complete sentences with the following expressions.</u>
<u>Model:</u>   (quelques)

Je vais manger quelques fraises.

1. (chaque)

2. (certaines)

3. (plusieurs)

4. (quelqu'un)

5. (chacun)

6. (quelque chose de)

7. (quelques-uns)

8. (quelques)

9. (le même)

10. (une autre)

Exercice 170

Le subjonctif présent

Substitute the subjects indicated in the following sentences.

1. Tu veux que j'aille faire les courses.

Tu veux qu'elles _____ faire les courses.

Nous voulons que vous _____ faire les courses.

2. Je souhaite que tu fasses le ménage.

Je souhaite que vous _____ le ménage.

Nous souhaitons qu'il _____ le ménage.

3. Marie désire que nous prenions la voiture.

Marie désire qu'ils _____ la voiture.

Tu désires que je _____ la voiture.

4. Nous aimerions bien que tu finisses tes études.

Nous aimerions bien qu'elles _____ leurs études.

J'aimerais bien que vous _____ vos études.

5. Vous préférez qu'il vendent leur maison.

Vous préférez que je _____ ma maison.

Je préfère que nous _____ notre maison.

6. Ils veulent que nous partions maintenant.

Tu veux que je _____ maintenant.

Nous voulons qu'elle _____ maintenant.

7. Je voudrais que nous voyions ce film.

Je voudrais que tu _____ ce film.

Elle voudrait qu'ils _____ ce film.

Exercice 171
Le subjonctif présent (suite)

<u>Conjugate the verbs in parentheses in the subjunctive.</u>

1. Je ne veux pas que vous _____ (aller) dans ce bar.

2. Il est préférable qu'elles _____ (faire) leurs devoirs tout de suite.

3. Il vaudrait mieux que vous _____ (pouvoir) venir plus tôt.

4. Il faut que nous _____ (savoir) nos leçons.

5. Il veut que vous _____ (être) à l'heure.

6. Il est nécessaire que tu _____ (prendre) le temps de vivre.

7. Il est préférable qu'il _____ (avoir) peu d'argent maintenant.

8. Nous voudrions bien que tu _____ (être) poli.

9. Il faut que les étudiants _____ (apprendre) le subjonctif.

10. Je souhaite qu'elle _____ (savoir) la vérité.

11. Vous aimeriez que je ne lui _____ (parler) plus.

12. Il vaut mieux que vous _____ (finir) votre soupe.

13. Tu préférerais que je _____ (dire) des bêtises.

14. Il serait bon qu'ils _____ (se détendre) après ce long voyage.

15. Il est indispensable que nous _____ (voir) un médecin.

Exercice 172

Le subjonctif présent (suite)

Conjugate the verbs in parentheses in the subjunctive.
Une mère de famille parle à son mari et à ses enfants:

1. Je veux que vous _____ (préparer) le dîner.

2. Je souhaite que tu _____ (prendre) un bain.

3. Je ne veux pas que vous _____ (regarder) la télé.

4. Je désire que nous _____ (se coucher) tôt ce soir.

5. Je préfère que Marie _____ (choisir) ses vêtements pour demain.

6. Je veux qu'ils _____ (finir) leurs devoirs et qu'ils _____ (se brosser) les dents.

7. Je ne veux pas que vous _____ (parler) la bouche pleine.

8. Il faut que vous _____ (faire) vos devoirs.

9. Il est nécessaire que vous _____ (aller) vous coucher tôt.

10. Il est indispensable que vous _____ (savoir) vos leçons.

11. Il est important que vous _____ (être) sages.

12. Il est préférable que vous _____ (avoir) de bonnes notes.

13. Papa voudrait que vous _____ (apprendre) vos leçons.

14. Pierre, j'aimerais que tu _____ (ne...pas voir) ce genre d'émissions à la télé.

15. Je préférerais que tu _____ (lire) un bon livre.

Exercice 173

Subjonctif et expressions impersonnelles

Complete the following sentences with a logical expression.

1.   que nous écoutions le professeur.

2.   de ne pas fumer.

3.   lire beaucoup de livres.

4.   que tu sois patient.

5.   que nous allions au restaurant ce soir.

6.   que les étudiants soient fatigués.

7.   de ne pas se coucher tard.

8.   travailler pour gagner de l'argent.

9.   de toujours dire la vérité.

10.   que nous soyons nerveux.

11.   être dynamique et sérieux.

12.   de faire le ménage.

13.   que tu arrêtes de fumer.

Exercice 174

Subjonctif et expressions impersonnelles (suite)

Complete the following sentences using the subjunctive or an infinitive structure when needed.

1. Il vaut mieux que nous _____.

2. Il est indispensable de _____.

3. Je veux que tu _____.

4. Nous préférons _____.

5. Il est normal de _____.

6. Il est peu probable que je _____.

7. Il est essentiel de _____.

8. Il vaut mieux _____.

9. Il est nécessaire que vous _____.

10. Je souhaite qu'ils _____.

11. Le professeur désire que les étudiants _____.

12. Il est très important de _____.

13. Il semble qu'il _____.

14. Mes parents ne veulent pas que je _____.

Exercice 175

Subjonctif et émotions

Complete the following statements using the subjunctive or an infinitive structure when needed.

1. Ma mère est contente que mon père _____.

2. Nous sommes désolés que vous _____.

3. Mes amis sont tristes de _____.

4. Mes parents ont peur que je _____.

5. Le petit enfant a peur de _____.

6. Tu es soulagé que l'examen _____.

7. Ils regrettent de _____.

8. Je ne suis pas surpris que tu _____.

9. Vous n'êtes pas contents que je _____.

10. Nous sommes étonnés que le professeur _____.

11. Le professeur est heureux que les étudiants _____.

12. Je suis furieuse que vous _____.

Exercice 176

Subjonctif et émotions (suite)

Make complete and correct sentences out of the following elements. You will have to decide whether to use the subjunctive, the infinitive, or the indicative.

1. il / être / bizarre / porter / short / quand / il / faire / froid

2. je / être / triste / que / ton / chien / être / mort

3. nous / être / heureux / que / vous / pouvoir / acheter / maison

4. il / être / utile / de / étudier / français

5. il / être / dommage / que / elle / ne pas / venir / cinéma / avec nous

6. il / être / étonné / que / ils / ne pas / être / encore arrivés

7. elle / être / soulagé / être / vacances

8. il / être / bon / que / vous / se reposer / pendant / vacances

9. nous / être / désolé / que / vous / être / malade / aujourd'hui

Exercice 177

Subjonctif et doute

Complete the following sentences with the subjunctive, the indicative, or the infinitive.

1. Je doute qu'il _____ (pleuvoir) aujourd'hui.

2. Nous ne sommes pas sûres qu'elle _____ (venir) à la réunion.

3. Je pense qu'il _____ (être) nécessaire de garder son calme.

4. Ils ne sont pas certains de _____ (pouvoir) aller au concert.

5. Vous doutez que la pollution _____ (être) importante en France.

6. Richard ne pense pas _____ (faire) de randonnée ce week-end.

7. Il est certain que le recyclage _____ (être) indispensable.

8. Nous ne croyons pas que l'égalité des sexes _____ (être) une réalité.

9. Il est évident que nous _____ (vouloir) agir contre la faim dans le monde.

10. Il est clair que nous _____ (choisir) de prendre le bus demain.

11. Tu ne penses pas que la situation _____ (pouvoir) s'améliorer.

12. Il est vrai que nous _____ (devoir) faire de grands efforts l'année prochaine.

Exercice 178

Subjonctif et doute (suite)

Find a logical end to the following sentences paying special attention to the tenses you will use.

1. Nous doutons que tu _____.

2. Je crois que vous _____.

3. Il ne pense pas _____.

4. Mes parents ne croient pas que je _____.

5. Mon ami(e) n'est pas sûr(e) de _____.

6. Vous êtes certains que l'avion _____.

7. Il est clair que tu _____.

8. Je pense que nous _____.

9. Vous ne croyez pas que le professeur _____.

10. Le professeur est certain que nous _____.

11. Nous croyons que l'examen _____.

12. Il est évident que le français _____.

13. Je suis sûre que les étudiants _____.

Exercice 179

Subjonctif et conseils

Give advice to the following people using the subjunctive, the indicative or the infinitive as needed.

1. Paul, tu as l'air fatigué. Il est évident que tu _____.

2. Monique, tes chaussures sont usées. Il est nécessaire de _____.

3. Maurice et Jean, vous n'avez pas d'argent! Il faut que vous _____.

4. Robert, tu bois trop de vin. Je suis sûre que tu _____.

5. Michel, tu fumes trop! Il est préférable que tu _____.

6. André, tu es désagréable. Je pense que tu _____.

7. Hélène, tu n'es pas polie avec Marie! Il faut _____.

8. Henri, tu es sale! Il est indispensable que tu _____.

9. Charles, tu as de bonnes notes! Il est clair que tu _____.

10. Nicole et Jeanne, vous êtes paresseuses. Je crois que vous _____.

11. Bernard. Ta voiture pollue trop! Il vaut mieux que tu _____.

12. Richard, tu as pris du poids! Je suis sûre que tu _____.

13. Caroline, tu joues bien du piano. Il est évident que tu _____.

Récapitulation du subjonctif

1. Les verbes comme vouloir, exiger, désirer, souhaiter, aimer:

a) je veux **manger** à 2 heures.   (même sujet: infinitif)
b) je veux que nous **mangions** à 2 heures.   (sujets différents: subjonctif)

a) il souhaite **voyager** en France.   (même sujet: infinitif)
b) il souhaite que vous **voyagiez** en France. (sujets différents: subjonctif)

2. Expressions impersonnelles:

a) il est essentiel de **participer** au cours.   (généralité: infinitif)
b) il est essentiel que vous **participiez** au cours. (sujet: subjonctif)

a) il est préférable de **manger** le matin.   (généralité: infinitif)
b) il est préférable que tu **manges** le matin. (sujet: subjonctif)

NB: la préposition **de** ne s'emploie qu'avec les expressions qui ont le verbe être:
Il est important de faire du sport.
MAIS
Il vaut mieux faire du sport.

3. Le subjonctif pour exprimer les émotions:

a) je suis heureuse de vous **voir**   (même sujet: infinitif)
b) je suis triste qu'il **doive** partir   (sujets différents: subjonctif)

a) il est bon de **prendre** 3 repas par jour   (généralité: infinitif)
b) il est stupide qu'ils n'**aillent** pas en cours (sujet: subjonctif)

4. Le doute:

a) nous ne pensons pas **aller** au restaurant   (même sujet: infinitif)
b) je doute qu'il **vienne** aujourd'hui   (sujets différents: subjonctif)

Les expressions de certitude et de probabilité s'emploient toujours avec l'indicatif:

Il est certain qu'il **doit** travailler cet été.
Il est vrai que le français n'**est** pas une langue facile.

Exercice 180

Subjonctif / Indicatif / Infinitif

Complete the following sentences using the subjunctive, the indicative or the infinitive.

Il est normal que vous _____ (être) fatigués après un si long voyage.

Voulez-vous _____ (se reposer)? Il est essentiel que vous _____

(se coucher) tôt ce soir et je suis sûre que demain vous _____ (être) en

forme.

Le professeur désire que ses étudiants _____ (faire) des progrès. Il aimerait

_____ (pouvoir) les aider dans leurs études. Pour cela, il est essentiel qu'ils

_____ (apprendre) leurs leçons, et qu'ils _____ (venir) en cours tous

les jours.

Il est important _____ (prendre) un bon petit-déjeuner le matin. Il faut

_____ (boire) aussi autant que possible. Il est bon _____ (faire) du

sport régulièrement et il est indispensable _____ (se reposer).

Il est vrai que les Américains _____ (être) souvent plus aimables que les

Français, mais il semble que les Français _____ (prendre) davantage le

temps de vivre.

Exercice 181

Subjonctif / Indicatif / Infinitif (suite)

Complete the following sentences using the subjunctive, the indicative or the infinitive.

1. Tous les parents veulent que leurs enfants _____ (être) heureux.

2. Le professeur pense que ces étudiants _____ (réussir) à l'examen la semaine prochaine.

3. J'espère que vous _____ (passer) de bonnes vacances.

4. Ma soeur ne pense pas _____ (pouvoir) venir me voir cette année.

5. Il est évident que l'alcool _____ (être) mauvais pour la santé.

6. Je suis sûr qu'il y _____ (avoir) quelqu'un dans le jardin.

7. Il faut que je _____ (aller) chez le dentiste.

8. Croyez-vous que les Dupont _____ (vouloir) dîner avec nous samedi?

9. Il n'est pas certain que Jacques _____ (venir) à la réunion.

10. Il est clair qu'elle _____ (avoir) besoin de se reposer.

11. Je ne veux pas que vous _____ (écrire) sur les murs.

12. Elle pense _____ (pouvoir) rentrer tôt ce soir.

13. Je regrette que vous _____ (devoir) travailler ce week-end.

14. Ils sont étonnés qu'il _____ (faire) si froid ici!

15. Il est important qu'elle _____ (se mettre) à étudier sérieusement.

Exercice 182

Phrases à composer

Write complete and correct sentences out of the following elements. Conjugate the verbs in the present tense unless otherwise indicated. PC = passé composé. IMP = imparfait. COND = conditionnel. FUT = futur. SUB =subjonctif.

1. Marie / aimer (COND) / que / nous / pouvoir (SUB) / lui / rendre visite

2. quand / pouvoir (COND) / nous / y / aller?

3. il / être / important / que / je / finir (SUB) / mon / devoirs

4. d'accord / nous / aller (FUT) / la / voir / demain

5. je / être / sûr / que / tu / finir (FUT) / ton / devoirs / ce soir

6. que / faire (FUT) / nous / chez Marie?

7. je / désirer / que / nous / parler (SUB) / ensemble / et / que / nous / aller (SUB) / restaurant

8. il / être / important / que / nous / ne pas / rentrer (SUB) / tard / parce que / je / avoir / examen / le lendemain

REVISIONS FINALES (various worksheets)

Depuis / pendant / il y a

Quand Annie était petite, sa famille a vécu en Allemagne _____ 2 ans. Elle a appris à parler allemand. Mais _____ son retour en France, elle refuse de parler allemand.

Mes parents ont visité l'Egypte _____ 10 ans. Ils sont restés au Caire _____ 5 jours puis ils ont fait une croisière sur le Nil.

_____ 1984, mes enfants vivent avec leur mère. Moi, je ne les vois que _____ les vacances scolaires. Ils semblent se méfier de moi et j'ai l'impression qu'ils ne m'aiment plus _____ le divorce. Que faire pour retrouver leur confiance?

_____ trois semaines j'ai reçu une lettre où une mère parlait de son fils. Elle explique que _____ les repas, Jean, 10 ans, ne mange presque rien. Elle remarque aussi que _____ une semaine il ne mange même pas son dessert!

Questions à formuler

1. Hier soir, Claire a dîné <u>avec ses amis</u>.

2. Elle a discuté longuement <u>de cinéma</u> avec Paul.

3. <u>Jean</u> est arrivé en retard et n'a pas mangé.

4. Les autres ont mangé <u>du poulet et des frites</u>.

5. <u>Les assiettes du restaurant</u> étaient très jolies.

6. Caroline a trouvé <u>la serveuse</u> très sympathique.

Passé composé ou imparfait?

Il _____ (être) 6 heures du matin, il n'y _____ (avoir) personne dans les rues. Soudain, un homme _____ (arriver) devant l'immeuble. Il _____ (entrer) et nous le _____ (suivre). Nous _____ (entrer) dans l'immeuble. Nous _____ (avoir) peur. Il n'y _____ (avoir) pas de lumière et nous ne _____ (pouvoir) rien voir. Nous _____ (ne...pas bouger) quand tout à coup, nous _____ (entendre) quelqu'un courir dans les escaliers et sortir de l'immeuble. Nous _____ (courir) après lui mais nous _____ (ne...pas pouvoir) le rattraper.

Pronoms

Est-ce que tu aimes <u>les escargots</u>?
oui, je...

Est-ce que tu aimes boire <u>du vin</u>?
oui, je...

Est-ce que tu as acheté <u>les livres</u> pour le cours de français?
oui, je...

Est-ce que tu vas acheter <u>les livres</u> pour le cours de français?
oui, je...

Est-ce que tu études souvent <u>à la bibliothèque</u>?
non, je...

Est-ce que tu manges <u>un sandwich</u> le midi?
oui, je...

Est-ce que tu as trouvé <u>les chemises dont je t'ai parlé</u>?
non, je...

Est-ce que vous avez <u>des citrons</u>?
oui, nous...

Est-ce qu'il a acheté <u>trois voitures</u>?
oui, il...

Est-ce que tu t'intéresses <u>à la musique</u>?
Oui, je...

Parles-tu <u>de politique</u> avec tes amis?
non, nous ...

Téléphones-tu <u>à tes parents</u> régulièrement?
oui, je ...

Pronoms relatifs

1. Eric mange souvent dans un petit restaurant chinois. Ce restaurant chinois se trouve dans le 13ème arrondissement.

2. Une amie de ma mère travaille dans la boutique. J'ai acheté une robe dans la boutique.

3. Le livre est très intéressant. Je lis le livre.

4. Mes amis viennent de Tunisie. Je parle avec mes amis.

5. Mes voisins sont très sympathiques. Le jardin de mes voisins est bien entretenu.

6. Le professeur enseigne les mathématiques. Il te parle de ce professeur.

Subjonctif / Indicatif / Infinitif

Aujourd'hui, il faut que je _____ (finir) mes devoirs et il est essentiel que je _____ (faire) le ménage.

Cet été, il est probable que nous _____ (rester) à Seattle. Il est possible que ma famille _____ (venir) me rendre visite.

En général, il vaut mieux _____ (réviser) avant les examens. Il est nécessaire que vous _____ (étudier) un maximum. Il faut _____ (avoir) du courage.

Temps variés

1. Si je _____ (avoir) de l'argent, je partirais en vacances.

2. Si je _____ (avoir) de l'argent, je partirai en vacances.

3. Quand nous _____ (arriver) à Paris, nous visiterons le Louvre.

4. Aussitôt que je _____ (finir) l'examen, je rendrai visite à mes amis.

5. Dès que j'aurai une minute, je te _____ (envoyer) une lettre.

Interrogations

1. <u>Georges</u> écrit des articles.

2. Je vois <u>Georges</u> tous les jours.

3. Elle a téléphoné <u>à son médecin.</u>

4. Sophie se marie <u>avec Denis</u>.

5. Nous regardons <u>la télé</u>.

6. <u>Le bruit</u> fait peur aux bébés.

7. Elle rêve <u>à son voyage.</u>

8. Je pars <u>dimanche</u>.

9. J'habite en France <u>depuis 1985</u>.

10. Je pars <u>parce que j'ai mal à la tête</u>.

11. Ils ont <u>5</u> enfants.

12. Il étudie <u>à la bibliothèque.</u>

Adjectifs

1. C'est une femme (italien / vieux)

2. C'est un appartement (beau / moderne)

3. Ce sont des filles (sportif / jeune)

4. Cette actrice s'appelle Romy Schneider (merveilleux / français)

5. C'est une mission (secret / dangereux)

6. C'est une histoire (long / fantastique)

Comparaisons

1. Ces voitures italiennes sont _____ (> rapide) _____ ces voitures françaises.

2. Le café est _____ (> bon) _____ le thé.

3. Paul est _____ (< travailleur) _____ Pierre.

4. Il mange _____ (> viande) _____ son frère mais il boit
_____ (< lait).

5. Elle nage _____ (> bien) _____ sa soeur mais elle court
_____ (< vite)

6. Isabelle Adjani est _____ (= célèbre) _____ Catherine Deneuve.

7. C'est le jour _____ (!!! beau) _____ ma vie.

Voici le restaurant _____ (!!!! bon) _____ la ville.

Imparfait ou passé composé

A. Ce matin, Eric (dormir) quand soudain, le téléphone (sonner). Il (courir) jusqu'à
l'appareil, il (répondre) mais il (entendre) une voix qu'il ne (connaître) pas. Ce (être)
une erreur. Il (retourner) se coucher.

B. Il (être) 3 heures de l'après-midi. Antoine (avoir) très faim. Alors, il (revenir) chez
lui; il (ouvrir) tout de suite le frigo et il (commencer) à préparer son repas: il (faire) une
salade de tomates, puis il (manger) un morceau de fromage et une orange. Ensuite,
il (prendre) un café.

C. Ce matin je (décider) d'aller voir mon ami Robert à l'hôpital. Il (venir) d'avoir un
accident; ce ne (être) pas grave, mais il (devoir) rester une semaine en observation.
Avant de partir, je (choisir) un livre dans ma bibliothèque: ce (être) un reportage sur
l'Afrique. je (savoir) que Robert (aimer) beaucoup ce genre de livres.
Je (monter) dans l'autobus et je (descendre) devant l'hôpital. Je (acheter) des
chocolats et je (entrer) dans la chambre de Robert. Il (dormir). Je ne (rester) que
deux minutes. Je (poser) les chocolats et le livre et je (repartir). Plus tard Robert me
(téléphoner), il (être) très content.

Verbes réfléchis

entendre / s'entendre
Le chien _____ un bruit. Il ne _____ pas avec le chat du voisin.

endormir / s'endormir
La chanson _____ le bébé. Il _____ facilement.

aller / s'en aller
Il _____ parce qu'il ne s'amuse pas à la soirée.
Il _____ à la discothèque avec Sophie.

fâcher / se fâcher
Je n'avais pas l'intention de _____ Charles. Tant pis! Il _____
facilement.

appeler / s'appeler
Est-ce que tu _____ tes parents régulièrement?
Comment est-ce que ton père _____?

tromper / se tromper
Il _____ (pc) sa femme. Il pensait qu'elle était naïve mais il
_____ (pc)!

ennuyer / s'ennuyer
Quand les enfants _____, ils _____ leurs parents.

promener / se promener
Monsieur Romer _____ ses chiens tous les jours. Il aime _____
autour du "Lac Vert".

installer / s'installer
Les nouveaux mariés _____ dans une petite maison. Ils
_____ un téléviseur dans la salle de séjour.

demander / se demander
L'étudiant _____ au professeur d'expliquer le conditionnel.
Le professeur _____ comment présenter la grammaire de manière
efficace.

mettre / se mettre
Je _____ mon stylo rouge sur la table. Je _____ à corriger les
examens.

QCM (questions à choix multiples)

1. Ce matin j'ai bu _____.
   - a. le café
   - b. du café
   - c. les cafés
   - d. de la café

2. Elle téléphone souvent _____.
   - a. de son ami
   - b. des amis
   - c. à sa mère
   - d. à son soeur

3. Il faut que j(e) _____ la vaisselle.
   - a. fais
   - b. ferai
   - c. fasse
   - d. ai fait

4. Elle s(e) _____ les dents.
   - a. a brossé
   - b. est brossées
   - c. sont brossés
   - d. est brossé

5. Demain, nous _____ au cinéma.
   - a. irons
   - b. sommes allés
   - c. avons allés
   - d. irions

6. Si nous _____ riches, nous ferions un voyage.
   - a. serons
   - b. sommes
   - c. étions
   - d. avions été

7. Je suis sûre qu'il _____ à la bibliothèque.
   - a. soit
   - b. est
   - c. ait été
   - d. sont

8. Est-ce que tu as _____ cousins?
   - a. beaucoup de
   - b. beaucoup les
   - c. beaucoup des
   - d. beaucoup

9. Paul, _____ à la faculté!
   a. vas
   b. iras
   c. va
   d. aille

10. _____ - vous New-York?
   a. Trouvez
   b. Savez
   c. Connaissez
   d. Sais

11. J'espère _____ bientôt.
   a. de manger
   b. manger
   c. que je mange
   d. mangé

12. C'est un livre _____.
   a. beau
   b. intéressant
   c. merveilleuse
   d. vite

13. C(e) _____ arbres.
   a. est un
   b. sont de
   c. sont des
   d. est des

14. Hier, j'ai attendu le bus _____ 45 minutes!
   a. pour
   b. pendant
   c. devant
   d. en

15. Cette _____ femme est _____.
   a. beau ..... vieux
   b. jeune ..... travailleur
   c. vieil ...... gentille
   d. vieille ..... gentille

16. Ce _____ arbre est _____.
   a. vieil ..... magnifique
   b. vieux ..... magnifique
   c. vieille ..... magnifiques
   d. petit ..... vieil

17. Est-ce que tu manges assez _____ légumes?
   a. des
   b. de
   c. les
   d. un

18. _____ tu as mangé hier soir?
    a. Qui est-ce que
    b. Qu'est-ce que
    c. A qui
    d. Quoi

19. Je suis contente que tu _____ en France cet été.
    a. peux aller
    b. iras
    c. pouvais aller
    d. puisses aller

20. Mon père veut que je _____ mes leçons.
    a. savais
    b. fais
    c. sache
    d. sais

21. Aujourd'hui il ne _____ pas beau. Il pleut.
    a. est
    b. fait
    c. va
    d. font

22. J'entends _____ dans la cave.
    a. quelque chose
    b. rien
    c. personne
    d. beaucoup

23. Est-ce que vous buvez un peu de vin?
    Oui, j(e) _____ bois _____ un peu.
    a. 0 0
    b. en 0
    c. y 0
    d. le .....de

24. As-tu mangé mes chocolats?
    Oui, je _____ ai _____.
    a. lui ..... mangés
    b. en ..... mangé
    c. les ..... mangés
    d. la ..... mangée

25. Téléphones-tu souvent à tes parents?
    Oui, je _____ téléphone souvent.
    a. leur
    b. lui
    c. les
    d. y

26. Vas-tu manger au restaurant ce soir?
    Oui, j(e) _____ vais _____ manger.
        a. y 0
        b. 0 ..... le
        c. en 0
        d. 0 ..... y

27. Voici la maison _____ j'habite.
        a. où
        b. que
        c. qui
        d. dont

28. L'homme _____ j'ai fait la connaissance hier est intéressant.
        a. que
        b. dont
        c. qui
        d. à qui

29. _____ tu dis? Je ne t'entends pas!
        a. Qui est-ce qui
        b. Qu'est-ce qui
        c. Que
        d. Qu'est-ce que

30. Il voudrait que je _____ en vacances.
        a. pars
        b. partais
        c. parte
        d. partirai

31. Nous pensons qu'il _____ beau demain.
        a. fera
        b. fasse
        c. fait
        d. faisait

32. Nous ne pensons pas qu'il _____ aujourd'hui.
        a. vient
        b. vienne
        c. est venu
        d. viendrait

33. Dès qu'il _____ 15 ans, il _____ travailler.
        a. avait ...... pourra
        b. a eu ...... peut
        c. a .... pourra
        d. aura .... pourra

34. Est-ce que vous avez envie _____ faire une promenade?
        a. de
        b. à
        c. que
        d. eu

35. Marc fait _____ tennis et Paul joue _____ football.
    a. au ..... au
    b. du ..... au
    c. de la ..... du
    d. à le ..... au

36. Nous venons _____ dîner.
    a. à
    b. de
    c. par
    d. le

37. Si j'apprenais l'allemand, j(e) _____ en Allemagne.
    a. voyagerais
    b. avais voyagé
    c. aurais voyagé
    d. ai voyagé

38. Si nous avons assez d'argent, nous _____ à Hawaï.
    a. irons
    b. irions
    c. serions allés
    d. allerions

39. Ils se sont _____ hier.
    a. téléphonés
    b. parlées
    c. téléphoné
    d. téléphonées

40. Si j'avais une voiture, _____.
    a. je ne prendrai pas le bus
    b. j'aurai pris le bus
    c. je prenais le bus
    d. je ne prendrais pas le bus.